T3-BUV-434

Abelardo Castillo

EL QUE TIENE SED

Abelardo Castillo

EL QUE TIENE SED

EMECÉ EDITORES

Diseño de tapa: Eduardo Ruiz

Alsina 2062 - Buenos Aires, Argentina

Primera edición en offset: 5.000 ejemplares

Impreso en Compañía Impresora Argentina S.A., Alsina 2041/49, Buenos Aires, abril de 1985

IMPRESO EN LA ARGENTINA - PRINTED IN ARGENTINA
Queda hecho el depósito que previene la ley 11.723

I.S.B.N.: 950-04-0442-7
11.186

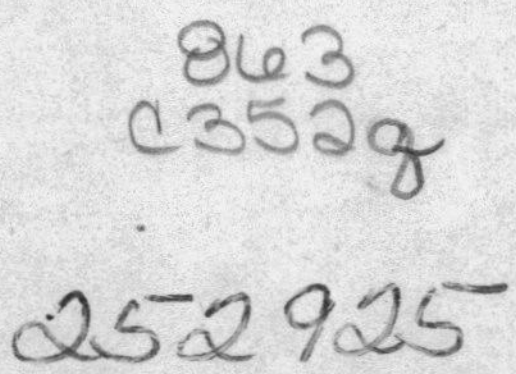

AL-KOHL, del árabe. Significa antimonio en polvo; es decir, algo tenue, leve como el sueño, ilusorio.

El alcohol (etílico), CHO, pertenece por su peso molecular a una serie de compuestos orgánicos que se inicia en el metilo y se continúa por el propílico, butílico y amílico. Toda la acción tóxica de las bebidas alcohólicas consumidas por el hombre, puede, en rigor, atribuirse al alcohol etílico.

διπψαω: tener sed, estar sediento (de algo), fig.: desear con ansia.

διπψα: sed, deseo ardiente, anhelo.

Pero fue una perra, fue la Luna: fue la diosa lunar Hécate, la Perra Blanca, la que parió una cepa. Y fue en el reinado del hijo de Deucalión. Y ésa es la información más antigua que me ha llegado sobre el origen del vino.

Jacobo Fiksler

Dionysos: Dios del éxtasis y la alucinación, dios del vino. Es un niño con cuernos, rodeado de mujeres. De su sangre brotó un granado o sicomoro. Es el dios agonizante y renaciente como la fruta de la granada que, abierta como una herida, estalla en semillas rojas. Es emblema de la Muerte y promesa de resurrección.

"Comed, ésta es mi carne; bebed, ésta es mi sangre."

"¿Qué son para mí las campanas, los tambores, los manjares finos, si ya sólo deseo estar ebrio siempre, si no quiero recobrar la razón?"

Li Po

διπψωμανος: sediento. EL QUE TIENE SED.

Libro I

Hasta que vino el miedo

1

El perro al pie de la escalera

"No deberías seguir tomando", escuché, aunque sin que la historia cambiara demasiado podría escribir *escuchó* ya que ignoro si estas cosas me están ocurriendo realmente a mí, o a otro, y hasta algo peor: ni siquiera entonces, ni siquiera en el momento de oír la voz apagada de la muchacha, habría podido jurar que el destinatario era yo. No es fácil de explicar. Yo estaba ahí, sí, en esa mesa junto a la ventana, en el bar Nilo, y la muchacha era Mara y me hablaba a mí, hablaba en voz baja, sin mirarme y en el tono casual con que uno se dirige a un sujeto peligroso o a un chico trepado a una cornisa; pero yo estaba como a un metro de mí mismo y *lo veía* beber. Y el que se emborrachaba por mí, o más exactamente por los dos y hasta por el mundo en general, era el otro. Otro con mi nombre y mi cara. Esteban Espósito. Él. Con mi cara y mi nombre y, sobre todo, con mi edad. Mi trigésimo primer año al cielo. Y él, a quien desde un alto otoño con lentas aves acuáticas le sonríe ahora Dylan Thomas agradeciéndole la paráfrasis, que en realidad es una cita equivocada, él brindó amistosamente con el aire, bebió de golpe su tercer whisky y, no sin cierta repentina urgencia, buscó con la mirada al mozo. "Pero, algún día, con todo esto vamos a hacer milagros", se oyó decir. La muchacha, Mara, parecía muy ocupada en alisar con el dedo índice dos papelitos de color sobre el mantel, dos boletos. No lo miró. "Milagros", insistió él y ella se puso tensa. "Vino del bueno, como en las bodas de Caná... Con todo esto, gracias a esto. A pesar de esto. Claro que..." Claro que allá era agua, pensó, agua quizá sagrada. Del Jordán. No adulterado y corrupto whisky nacional. Y puede que no deba seguir bebiendo, sí. Porque la voz apagada de la muchacha lo sorprendió en mitad del gesto de alzar el vaso vacío boca abajo, en dirección al mozo, gesto casi impúdico, vagamente obsceno, que él no disimuló, sino más bien acentuó, aunque dejarse ganar ahora por la irritación era una estupidez. O no había descubierto esa misma tarde que no es el alcohol lo que emborracha. No es el alcohol, es el estado de ánimo, el estado de ánimo con que se lo toma. Y ella le creyó. Claro que cuando lo explicó estaba sobrio. Y claro que eso de que ella le creyó admitía un análisis más profundo.

—Sí, tal vez yo no debería seguir tomando —dijo—. Y tal vez, y fijate que digo tal vez, que no afirmo nada, tal vez vos no deberías seguir tratándome como a un borracho —y pensó que se estaba poniendo elocuente y sarcástico, lo que no era de ningún modo una buena señal—. Los borrachos somos hipersensibles. Es típico. Y astutos. Vos lo sabés, o por lo menos deberías saberlo. —Ella no lo miraba, pero tampoco parecía hacer ningún esfuerzo por no mirarlo, era increíble la naturalidad que había ido adquiriendo en los últimos tiempos. El mozo estaba junto a la mesa. Esteban pidió otro whisky. Y sin embargo todavía era posible dar un salto y reacomodar la noche.— Y más hielo —dijo después, y esto le permitió dar el salto—. Y me trae la cuenta.

Si hace el menor gesto de alivio, pensó, va a ser como si me asesinara. Pedir la cuenta había sido un acto de voluntad capaz de desorbitar las estrellas, sólo que ninguna mujer podía comprender su sentido. No se trataba de que necesitara seguir bebiendo, no al menos por ahora, ni de que tuviera miedo de hacer un escándalo en una noche como ésta, en la que había habido una película del Pájaro Loco y una fragata iluminada en el puerto y dos boletos capicúas; se trataba de que, al pedir la cuenta, lo había hecho por ella, para que, por lo menos esta noche, ella se quedara en paz. Pero sin hacer el menor gesto de haberse quedado en paz.

Ella dijo:

—Tu boleto es menos capicúa que el mío.

Él la miró, pero no pudo sorprender la menor pista, nada raro o afectado en su voz. Lo que había dicho, lo había dicho. Así nomás era. La muchacha dejó de mirar los boletos y alzó los ojos, él alcanzó a apartar la mirada a tiempo. ¿O le pareció? "No hay grados de capicuidad", se obligó a decir en el mismo tono de la muchacha, todo el mismo tono que a él, a sus años, le estaba permitido. Treinta y uno, pensó; me quedan siete. Un poco más. Lo había soñado con toda claridad unos días antes. Un púlpito. O el estrado de un juez. El hombre vestido de negro, sin cara, y su voz: treinta y no cuarenta. Y él supo, en el sueño, que había querido decir treinta y nueve. Pero mejor no pensar mucho en esto o iba a terminar contándoselo. Terapia al revés, nada en el mundo da tantas ganas de tomar whisky como contar sueños o evocar la infancia.

—Capicuidad —repitió claramente él.

Difícil palabra, llena de duras olitas. Un buen modo de averiguar si uno ya está borracho es decir cocacola. Y volvió a repetir que no había grados de capicuidad; es como aquello que dijo Poe de los grados de imposibilidad. Saltar a la Luna es tan imposible como saltar hasta Sirio, aunque la Luna esté como nueve millones de años luz más cerca. Para hablar en números redondos. ¿Así que al decir capicuidad la primera vez algo había andado mal? El *cuí*. Y así que la Luna y Sirio. Un segundo después de pedir el tercer whisky y de habérsele trabado la lengua. No exactamente trabado, pues se trataba de otra cosa, una especie de levísimo gangoseo *(goga gola)*, pero Poe, justamente esta noche, era otra imbecilidad. Ella iba a sospechar que estaba jugando al borracho prestigioso. Pero si NO estoy borracho, pensó. Si apenas he tomado dos whiskys, si anoche me tomé diez y estuve clavado a la máquina de escribir hasta mediodía. Basura, es cierto, pero desde las seis a las doce. De todos modos había nombrado al que te dije. Y ahora ya no se iba a salvar ni Gargantúa. ¡Adelante!

—Y ya que evoqué a mi fantasmita privado, voy a conjurar sin miedo a toda la parentela —dijo, mientras el mozo le servía con generosos gestos de ordeñador una aterradora medida de whisky y se quedaba junto a la mesa—. Y hasta a Gargantúa. Y también a Noé —agregó mirando bruscamente al mozo, y ya estaba a punto de preguntarle "y a usted qué le pasa", cuando recordó, con alivio, que este meritorio hombre de trabajo sólo esperaba que él le pagara. Sintió un agradecimiento abstracto, del que hizo emblemáticamente destinatario al mozo. Pagó y le dejó el vuelto de propina.— Y no vayas a imaginar que es traído de los pelos. Lo de los fantasmas. Ni pienses que estoy entrando en tirabuzón, y no me refiero a ningún sacacorchos, sino al tobogán, al tirabuzón metafísico o tobogán —y soltó el vaso, al que prácticamente se había aferrado al sentir que se perdía en ese dudoso laberinto de sacacorchos, tirabuzones y toboganes, automatismo, el de llevar la mano hacia el vaso, que había sido un gesto de indignación y la parte inicial de otro movimiento más o menos destinado a ocultar la cara y que ahora cortó en seco retirando con naturalidad la mano y buscando cigarrillos. Los cigarrillos estaban sobre la mesa y la muchacha se los alcanzó. —Tobogán al que suelo ir a parar, en efecto, cuando quiero embellecerme con los borrachos prestigiosos. No, esta vez simplemente hablaba de mí. Y también voy a hablar de los boletos capicúas, no te preocupes, quiero decir que un momento antes de que apareciera el mozo, o yo lo llamara, de acuerdo, te acababa de insinuar que ya deberías saber cómo tratarme. —Y puso violentamente sobre la mesa un ajado libro de tapa violeta en la que se veía o más bien se adivinaba el dibujo de un reloj imposible, en algo así como un circo o parque de diversiones, en algo así como un manicomio.— En este libro está todo. Hasta esto está, hasta nosotros, si te descuidás.

Hasta nosotros, sí. Hasta lo que Dios tiene que darme tiempo para hacer con nosotros, pensó. Dios o el que sea. Y aunque ya esté todo bajo esta tapa y su reloj infernal que gira al revés. Para no hablar de esto, y volvió a soltar el vaso. El infierno no son círculos. Hay parcelas, feudos, ciudades enteras. Y este humildísimo pedazo de infierno, este jardín con una sola flor, es el mío, es *mi* vida, carajo. *Plac plac plac:* aplausos. Sólo olvidó agregar un pequeño elefante. O dos. No había vuelto a escribir una línea en los últimos tres años, ni con tiempo o sin él tenía mayormente la intención de hacerlo, lo que aminoraba un tanto las posibilidades de que el Porvenir, o la justicia poética, rindieran tributo a su flor o siquiera lo acusaran de borracho. Lo que no era grave comparado con lo que iba a ocurrir de un momento a otro en esa misma mesa, porque la muchacha había bajado los ojos y estaba diciendo "sabés perfectamente que", y de pronto se interrumpió. Que no se puede vivir así, quiso decir. O que te estás matando. O perdiendo el alma.

—Cómo, no te oí —dijo él.

—Nada —dijo la muchacha.

—No hay por qué morderse los labios. Nadie tiene ninguna obligación de terminar una frase, y menos si le provoca asociaciones con cadáveres ilustres o locos reales que, como en las cintas, son pura coincidencia. No hay ninguna obligación de acertar en todo momento con el gesto exacto. O con el parlamento exacto. Hasta yo, fijate, me he sorprendido diciendo palabras hirientes, y hasta palabras que dan miedo. Cualquiera puede, de buena fe, deslizar en la cabeza del otro alguna tentación o demonio que vaya a saber la devastación que causan. Hay frases truncas, *sabés perfectamente que* hay frases truncas, por ejemplo, que equivalen a todo el nitrato acumulado en las paredes de la catacumba de los Montresor. Me refiero a la bodeguita famosa, la del barril de amontillado.

—Por favor, Esteban.

—Te hago notar que no he tocado para nada el vaso. Sólo tomé dos whiskys. O tres. Y el razonable vino en la cantina de La Boca. —Porque de pronto recordó que también había bebido algo de vino, medio piojoso litro de vino blanco con tal cantidad de agua mineral que en cada trago se podrían haber criado pescaditos de colores, criado y multiplicado y llegado a la vejez rodeados de su prole, contentos hasta el delirio.— Y eso no sería suficiente para alterar mi carácter aunque yo fuera una mariposa. O un pescadito de color. Quiero decir que no hay ningún motivo para interrumpir esta natural discusión, que es casi una ceremonia, un ejercicio del espíritu, un juego, digamos, entre una pareja a la que los años (¿cuatro?, van cuatro años, ¿no?) ya le dan cierto derecho a estar hartos el uno del otro, de vez en cuando, sin que mañana deje de salir el Sol y sin necesidad de que alguno de los dos sea alcohólico. Y me gusta ese gesto, el de hace un segundo. Vos, toda entera, me gustás hasta la pornografía cuando te alterás como hace un momento, y no cuando sos perfecta y ecuánime e inglesa del Ejército de Salvación, si me entendés lo que te quiero decir.

—Te entiendo.

La muchacha, sin violencia, se había puesto a quebrar escarbadientes y, con una uña repentinamente oriental, iba organizando sobre el mantel los aleros superpuestos de una pagoda. Lástima que esto él sí ya lo había escrito. Gran Tifón, pensó inspirando profundamente y reprimió a duras penas la tentación de soplar, cayendo como un azote a lo largo de las costas javanesas. Mara no lo miraba, miraba el mantel. Había puesto una mano casual, a modo de pantalla, ante la pagoda, y dijo:

—Querés enojarte, no es cierto.

A él le dio tos.

—No —dijo—. No es cierto. Hoy fue un día bien hecho. Un día casi armado. Un día construido, como una estrella. O como una estrella construida, la frase naturalmente no es mía, es de Neruda, siempre y cuando no tenga muy avanzadas las clásicas hemorragias puntiformes en las meninges, amén de otros cambios degenerativos, y memorice bien. No tengo en absoluto ganas de enojarme con nadie. Todo esto venía, sencillamente, porque según te expliqué mil veces detesto oír que no debo seguir tomando, máxime cuando no se puede decir que haya *empezado* a tomar. —Y de pronto vio a Mara a través de Mara, la vio tal como era hacía años, vio reflejado en el vidrio de la ventana su perfil como lo había visto una noche en un bar de Retiro: "Siempre tomás de ese modo", le había preguntado esa noche la muchacha de las pagodas mientras él observaba abstraído su perfil en el vidrio de la ventana y él se sobresaltó y respondió que no siempre, solamente cuando hay Luna llena, pero descubrió que era la primera vez que alguien reparaba en su manera de beber, incluido él mismo, y ahora recordaba perfectamente que en ese preciso instante comprendió que ya nunca iba a poder hacerlo con alegría, con la misma impunidad; sí, había sido en un bar del Viejo Retiro, y Mara llevaba un vestido verde opaco estampado con grandes pétalos blancos con un pequeño cuello, también blanco, de un género que podría ser cualquier cosa, pero que a él, ahora, le pareció que necesariamente debía ser eso que las mujeres llaman piqué.— Ni empezado a tomar —repitió con una voz tan rencorosa que la muchacha levantó la vista—. Porque basta que me su-

surren que no debo tomar, qué digo tomar, comer mierda, para que yo me sienta irrefrenablemente seducido por todo tipo de caca. Todo eso está en este libro. Y también en Poe. Sólo que menos dicho, fijate. Y por eso sospeché que deberías saberlo. Aquello del Demonio de la Perversidad.

Y repentinamente, de un trago, se bebió el vaso de whisky. La muchacha parecía a punto de llorar.

—Pero vos no sos *ellos* —dijo Mara; casi lo gritó.

Él la miró un segundo, como deslumbrado. Se reía.

—Eso sí que es una verdad —dijo—. Pero no vayas a creer que me estás salvando de algo. No vayas a creer que acabás de decirme un extraordinario piropo. Vámonos.

Se levantó y enfiló directamente hacia la puerta, mientras la muchacha, poniéndose a medias el tapado, trataba de dar la impresión de que estaban saliendo juntos. Él la veía ahora por un espejo: era absurda e increíble y de pronto la quería. Caminar poniéndose el abrigo no es una operación que encaje en una mujer. No, al menos, en una mujer como Mara. Era forzarla a simular una soltura casi masculina, obligarla a caminar y acertar al mismo tiempo el hueco de la manga, era humillarla, hacerle una canallada mucho peor quizá que acostarse con otras mujeres o echarle la culpa de estar acabado a los treinta y un años, era desarmarla de belleza. Él se paró en seco y dio media vuelta, tan bruscamente que ella estuvo a punto de llevárselo por delante. Quedaron así, casi pegados y mirándose, hasta que él le acomodó el tapado no sin inesperada gentileza y hasta (pensó) con cierta aristocrática elegancia, y soltó la risa. Y así salieron del bar, abrazados y riéndose, mientras él pensaba que ahora sí parecían un buen par de borrachos. Y pensaba que todo consistía en esto, en conservar la mínima joya luminosa de esta alegría momentánea, al menos hasta haber hecho las dos cuadras hacia su casa y haber cruzado la puerta del perro de la planta baja, insomne bestia que lo odiaba de todo corazón, y ladraba, lo que le producía el invariable deseo de patear esa puerta, o mearla, cosas que alguna vez había hecho, o ponerse a ladrar él mismo, ladrar frente a esa puerta desde la tiniebla del pasillo, lo que también había hecho más de una vez, ladrar en cuatro patas, mientras Mara subía por las escaleras como para que él la siguiera o le decía no Esteban por favor, no, pensá en mañana, para qué hacer locuras como ésta, por qué, no puede ser que te odies de esta manera Esteban; de modo que lo más razonable era recordar la fragata iluminada en el puerto y la película del Pájaro Loco, y los dos boletos capicúas, de los que él había pensado, y ahora lo estaba diciendo mientras cruzaba riendo el pasillo, que ella le había hecho trampas aun admitiendo que existieran grados de capicuidad, ya que nadie podía saber cuál de los dos boletos, si el que les vendieron en el viaje de ida a la Boca o el que increíblemente les tocó en el colectivo de regreso, era de él o de ella. Pero lo más probable, y aunque ya está ladrando (en alguna parte, dónde) ese perro hijo de puta, lo más probable es que los dos sean tuyos porque hoy es un día que fue hermoso, y hay tan pocos, hemos tenido tan pocos, Mara, que lo mejor es regalarte a vos en esta historia toda la suerte cautiva en dos papelitos azules o rosados para que dentro de muchos años seas feliz y quieras creer que mis boletos o yo tuvimos algo que ver con eso. Que al fin de cuentas, dijo Esteban mientras metía con un solo movimiento, seco y preciso, la llave en la cerradura, estar contento una noche bien vale jugarse el destino. Y si no, pensá en aquello de Fausto. Y ahora que llegamos con vida voy a confesarte que me está haciendo efecto el último whisky. O el vino. O algo.

—No —dijo después, rígido y alerta en el centro de la primera habitación—. No vayas a prender la luz.

—Por qué —preguntó ella.

Se veía, en la oscuridad absoluta, la inerme sombra de su sonrisa, se la oía, en el perfecto silencio de la casa. Está loca, pensó Esteban.

—Por la fotofobia —dijo—. Síntoma típico. No, tarada. Para darle un toque final de clandestinidad a la noche. —Ladrá, ladrá nomás, pensó en el silencio.— Te quiero —dijo.

Y cruzaron a oscuras el primer cuarto y a oscuras llegaron al dormitorio. Y él la desvistió lenta y dulcemente, sin pensar en nada, ni en la máquina de escribir a la que había hecho un buen chiste al neutralizarla en la oscuridad, ni en la botella de ginebra que acechaba desde el barcito español que Mara le había regalado para su cumpleaños, porque era mejor no pensar mucho en esto, ni en la muchacha desnuda que tenía debajo y cuyo nombre olvidó de pronto porque en lo que realmente estaba pensando era en el perro, ese monstruo, al que, sin ningún remordimiento, Esteban Espósito iba a asesinar cualquiera de estas noches.

Del libro de cuerina azul

...aparece así un estado patológico estable, el alcoholismo crónico, en que cada nueva dosis de alcohol se ingiere antes de que la anterior se haya eliminado del organismo. Un síntoma importante es el estado de resaca, caracterizado por depresión, tristeza e ideas delirantes de inferioridad y miedo. Se advierten temblores especialmente en los dedos de las manos, peso en la cabeza y malestar, localizado en la región cardíaca, que desaparecen al instante con sólo tomar aunque sea una dosis mínima de alcohol, la cual, por supuesto, sobrealcoholiza el organismo y reinicia un proceso que podríamos llamar el "círculo alcohólico". Los síntomas más graves se manifiestan en la esfera intelectual y afectiva. Los sentimientos superiores —sociales, ético, morales— se debilitan paulatinamente y se hace más intensa la afectividad inferior, la de "los bajos instintos". El grosero egoísmo, la idea dominante de otra borrachera, obnubilan en el alcohólico todo sentido de responsabilidad. La culpa se revierte en autojustificación, la falta de voluntad en desinterés. La mujer, la familia, los amigos, acaban por desaparecer de su mundo afectivo...

De *ALCOHOLISMO Y LOCURA, por el prof.* A. C. STURM, (psiquiatra, neurocirujano e investigador de las Salas Cerradas del Neuropsiquiátrico en que E.E. entrevistó a Jacobo Fiksler, *cap. VII, pág. 121.*

(El texto ha sido marcado verticalmente con doble línea roja por Espósito, en una página arrancada del libro de Sturm. Al margen se lee, con cierta dificultad: "Este animal nos odia", *y algunas obscenidades. Hay una llamada y, con letra muy pequeña y clara, una nota al pie:* A mí NUNCA me temblaron las manos. Yo NUNCA bebo para tranquilizarme".)

2

El cruce del Aqueronte

Se despertó de golpe, sin abrir los ojos, aterrado y cubierto de sudor. Era de mañana, lo supo por el tenue color polvo de ladrillo que filtraba la luz a través de sus párpados cerrados. El corazón le latía con grandes mazazos, al ritmo del mundo, que se bamboleaba y saltaba y caía como si estuviera a punto de partirse como un huevo. En realidad no era el mundo lo que parecía amenazado por un cataclismo (no al menos en un sentido inmediato), sólo que Esteban, con los ojos apretados y rígido de miedo, no tenía por ahora la menor intención de averiguarlo. Dios mío, pensó, si salgo de ésta. Porque lo que sí adivinaba sin mucho esfuerzo es que al llegar a este sitio, cualquiera fuese el sitio donde ahora se hallaba, debió de estar tan descomunalmente borracho como muy raras veces antes en su vida, lo que no es poco decir si tenemos en cuenta cuál había sido su manera habitual de soportar el mundo en los últimos cinco o seis años. Y aunque resulte curioso, esta comprobación lo llevó a pensar que, bien mirado, no existía ningún motivo para imaginarse en peligro. Excepto por la sed y los golpes como timbales de su corazón y la necesidad increíblemente nueva de tomarse un whisky, cosa que nunca le había ocurrido antes al despertar, excepto, pensó con algo vagamente parecido al humor, que esté en peligro de muerte, por colapso alcohólico. Pensamiento que dejó de causarle gracia al mismo tiempo que lo formuló y que tuvo la virtud de hacerle olvidar el whisky. No abrió los ojos. Hizo algo aparentemente menos lógico: cerró, con cautela, la boca. Nadie lo vería dormir con la boca abierta por más que, según todas las señales, ésta fuera la última mañana del mundo. Supo, con los ojos cerrados —lo supo mucho antes de comprender que aquello no era el mundo, sino un ómnibus expreso, ómnibus que Esteban había conseguido tomar de algún modo y que ahora acababa de entrar en un desvío de tierra—, supo que era pleno día y que, dondequiera que estuviese o lo hubieran metido, podía haber testigos. Dormir con la boca abierta es una obscenidad, un signo de abandono, de abyección. Testigos o testigas. Porque, la verdad sea dicha, lo único que le importaba era que pudiera verlo una mujer. El ómnibus dio un nuevo bandazo, Esteban oyó por primera vez el zumbido del motor y tomó plena conciencia de que aquello era un ómnibus. Bueno, pensó calmado en parte, aunque sin dejar de sentir una especie de inquietud, parece que finalmente conseguí tomar el ómnibus. Se llevó, con disimulo, la mano a la frente empapada. La mano no tembló. Luego, sin abrir los ojos y con casual naturalidad de alto ejecutivo que viaja en ómnibus porque no ha conseguido pasaje en avión y tiene el coche descompuesto, se alisó el pelo: entonces sintió que le dolía terriblemente el parietal izquierdo. ¿Qué era? ¿Un golpe? O el lógico dolor de cabeza, primero de los castigos o agonías que siguen a eso que los libros llaman una noche de juerga, pero que él, Esteban Espósito, treinta y tres años, ex futuro maestro de su generación, había aceptado llamar finalmente con el más apropiado nombre de alcoholismo crónico, en un acto de coraje que un mes atrás lo había ennoblecido hasta la Bienaventuranza ante el espejo del baño, pero que no modificó en absoluto su vinculación cada día más estrecha con el whisky y la ginebra, si bien siempre le quedaba el consuelo intelectual de sentirse dueño (todavía) de una lucidez implacable. Las dos cosas. El lógico dolor de cabeza y un golpe. Ahora palpaba el hematoma del cuero cabelludo, la inflamación a todo lo largo del hueso. No habré cometido la idiotez de pelearme con alguien. ¡O caído! Pero de pronto recordó el taxi, con alivio recordó que esa madrugada, al tomar el taxi, y por algún misterio, calculó que el auto tenía umbral, pisó el aire, se fue hacia adelante y dio con el costado izquierdo de la cabeza contra la puerta. Lo recordó con un alivio un poco inexplicable y abrió los ojos: era de mañana, en efecto, y nadie lo miraba. Pero era tan de mañana, y con un sol tan repugnante y redondo colgado de su propia ventanilla, que fue como si le reventaran un petardo en la cabeza. Dios mío, pensó, cómo pude ponerme un traje semejante, porque de acuerdo con la altura del sol no era mucho más de las ocho y, a mediodía, ese traje de lana y su chaleco podían llegar a enloquecerlo, sin que esto fuera ninguna metáfora. Corrió la cortinita de la ventanilla y cerró los ojos. No se quitó el saco ni el chaleco. Otras cuestiones lo distrajeron. Con qué dinero había tomado el ómnibus, por ejemplo. Y dónde la había dejado a Mara. O cómo consiguió llegar a su casa desde la fiesta, porque ahora también recordaba la fiesta. Y sobre todo: cómo hizo para subir las escaleras hasta su departamento, vestirse, volver a bajar, tomar un taxi y llegar a la estación de ómnibus.

¿Y adónde iba?

Esteban abrió los ojos con espanto. Pero no debía alarmarse. Lo fundamental en esos casos era no alarmarse. Se arregló el nudo de la corbata. Con una fugaz admiración por sí mismo comprobó que tenía prendido el botón del cuello. Iba a Entre Ríos, sí. A Concordia. Vestido como para una excursión a Nahuel Huapí, pero iba, decentemente, a dar una conferencia sobre alguna cosa (que ya recordaría) a algún lugar llamado Amigos del Arte, o Amigos del Libro. O amigos de hincharme las pelotas, pensó de pronto al darse cuenta de que no llegaría antes de las cuatro de la tarde, suponiendo que llegara, porque quién le aseguraba que ese ómnibus fuera a Entre Ríos, quién podía asegurarle que él, esa madrugada, hubiera hecho inconscientemente algo tan sensato como sacar un pasaje para el verdadero sitio al que iba. Metió la mano en el bolsillo interior del saco buscando el pasaje. A punto de gritar, retiró la mano. Sus dedos habían tocado un pequeño objeto peludo. Ahora estaba aterrado realmente y sentía todo el cuerpo empapado al mismo tiempo. Era absurdo. "No soy *tan* borracho". ¿No? "No, no al menos como para tener..." ¿Alucinaciones?, ¿táctiles? ¿Alucinaciones táctiles? "Está ahí; eso, lo que sea, está realmente en mi bolsillo". ¿Está? ¿Podríamos jurarlo? ¿Podríamos jurar que nunca, antes, habíamos tenido una, para decirlo de otro modo, una pequeña confusión de ningún tipo? "Sí, puedo jurarlo", murmuró locamente Esteban, y al comprender que había hablado casi en voz alta hundió la mano en el bolsillo y apretó con ferocidad aquella cosa, su pequeña pelambre, mientras una náusea incontenible le subía agriamente a la garganta, y un segundo después se encontró mirando con estupor en la palma de su mano un cepillo de dientes, un hermoso cepillo de dientes de mango azul como el cielo, como los ojos de una mujer de ojos azules, como cualquier cosa azul y transparente en este portentoso mundo de flores azules y viajes al lugar exacto, porque ahora, después de meter la mano en otro bolsillo, encontró un pasaje donde se leía "Transportes Mesopotámicos", marcado con un agujerito redondo como la boca de un pez, como una perla, como toda cosa redonda y mínima que Dios haya puesto sobre su azul y redondo mundo, en el lugar correspondiente a la ciudad de Concordia.

Se quitó el saco y el chaleco. Habría estado muy borracho la noche anterior, perfecto. Tan borracho como para no recordar casi nada de lo que había hecho (¿dónde la había dejado a Mara?, ¿era Mara?), pero no tan borracho como para olvidarse de salir correctamente vestido con un traje de lanilla que, pensándolo bien, era lo más adecuado para sobrellevar el fresco repentino de las noches litorales, ni tan borracho como para olvidar esto, el Símbolo de nuestra Civilización y nuestra Cultura, de manera que si el esperado cataclismo hundiese el planeta los antropólogos del futuro podrían reconstruir a Esteban y su mundo, su irrisión y su conmovedora grandeza, a partir de este solo dato. Imaginó con cierta ternura, junto a sus incorruptibles huesos, la incorruptible bakelita azul del cepillo.

Cuando intentó ponerse de pie para dejar el saco y el chaleco en el portaequipajes, comprobó que no había estado borracho, sino que, técnicamente hablando, todavía estaba borracho. Y de qué modo. Mirando desde allí el portaequipajes, comprobó otra cosa: no se veía valija ni bolso de mano, ni objeto alguno que fuera suyo, sobre todo, no un portafolio. Y él recordaba perfectamente un portafolio, negro, con manija, baratísimo y suyo, sin valor para nadie que no fuera el hombre que ahora volvía a transpirar y se aflojaba la corbata con un tirón tan brusco que le saltaron dos botones de la camisa, su portafolio de material sintético, negro estuche de su alma, dicho sea con toda ironía, o Caja de Pandora de tres por cinco donde sin embargo, dicho sea sin la menor ironía, anidaba la Esperanza, por no llamarla Redención. Esteban recordó haber llegado a su casa sin Mara (¿dónde la habría dejado?, Mara o la que fuera), vale decir, solo. Vale decir que no pudo haber entrado en ningún bar. Nunca bebía solo. Nunca, o todavía. ¡Bah!, andá al carajo con tus interrupciones, pensó. O sí, el único lugar donde aceptaba beber sin compañía era su casa, pero no hasta emborracharse, y esto sí que era extraño y hasta novedoso, era un poco anormal desde el punto de vista clásico, ya que esta gente (los borrachos, pensó, los enfermos alcohólicos), como los drogadictos, tienen una manifiesta tendencia a la soledad cuando están en racha, al anonimato, a los bodegones sórdidos, cosa que a Esteban le resultaba bastante inexplicable porque, según pensaba ahora ya totalmente olvidado del portafolio y hasta de su alma inmortal cautiva en el portafolio bajo la especie de un gran cuaderno "Leviatán" de hojas cuadriculadas, la soledad únicamente se soporta estando sobrio, sólo es bella y contiene al hombre como en el centro de una perla negra, si se está sobrio, en cambio, el mundo, que repentinamente había derivado desde una redonda transparencia con azules flores de campanilla a la forma algo arbitraria de una escupidera cuyo contenido venía a ser la Civilización, y sobre todo ciertos borrachos, y sobre todo ciertos escritores borrachos (excepto los muertos venerables), en cambio el mundo no puede ser soportado con menos de medio litro de whisky bajo la camiseta, pensó Esteban como si cantara en medio de un incendio, imagen que estuvo a punto de revelarle una teoría general y algo catastrófica sobre el destino de la Cultura Occidental, y sobre el arte, esa borrachera de la cultura, y sobre sí mismo como una especie de cordero borracho inmolado por amor a la sobriedad, al equilibrio y a las flores azules. Y sabe Dios adónde habría ido a parar si la necesidad de escribir todo esto *(de escribir una carta*, pensó) no le hubiese hecho recordar el portafolio.

Tenía la costumbre de apoyarlo junto a la pata de las mesas, en los bares, pero, por las razones filosóficas ya apuntadas, él no había entrado en ningún bar. O sí. ¿El bar de la estación? Imposible. Y no porque esta misma mañana no se hubiera sentido capaz de refutar su sana teoría sobre él y los bares, sino porque en la estación de ómnibus no había ningún bar, no uno abierto. Ni tampoco en los alrededores, porque ahora se recordó a sí mismo, portafolio en mano, buscando con alguna desesperación un bar abierto por la calle Hornos.

—"Ñortespierto" —oyó, junto a la oreja.

Una dulce electricidad le erizó los pelos de la nuca. Y mientras alcanzaba a pensar que esa expresión no era un giro literario, comprobando al mismo tiempo que a su lado no había nadie, cosa que ya sabía, recordó el nombre de la calle (¡Hornos!) y sintió que se le helaban los dedos debajo de las uñas. Su asiento estaba reclinado; el contiguo, no. En el hueco vio una nariz y un ojo. El ojo era más bien verde, pero Esteban, por una cuestión de cábala, lo miró como si fuera azul. Ojo que pertenecía a una encantadora anciana que acababa de preguntarle al señor del asiento de adelante, o sea a él, si ya estaba despierto. Esteban, con la espalda muy rígida contra el respaldo y la cabeza vuelta en dirección al ojo, tenía, o le pareció, un vago aspecto de persona a punto de ser fusilada, y, a causa de la torsión del cuello y de los ojos, cierto aire de pánico que de todos modos no iba a poder atenuar mientras debiera atender por entre los asientos a la anciana dama, quien, créase o no, le estaba hablando a Esteban de su portafolio.

—Usted me lo puso en la falda, al subir —decía la bella mujer antigua del asiento de atrás—. "Cuídemelo bien", me dijo, y se fue a dormir a su asiento.

—Me acuerdo —dijo soñadoramente Esteban.

—Pero yo me bajo acá cerca, en Zárate —decía el Hada de los Poetas—. Así que no sé.

Yo debí tener una abuela así, pensó Esteban casi con lágrimas, o aunque más no fuera un ama de llaves como ella. Nunca me hubiera atrevido a defraudarla. Nunca me hubiese caído de cabeza en la bañadera al volver de madrugada, nunca me habría deslizado en la oscuridad para robarle el Licor de las Hermanas. Y todo, lo sé, todo habría sido distinto.

—Démelo, démelo nomás —dijo.

La abuela, que hasta ese momento seguía con el portafolio sobre su falda, hizo ademán de levantarse.

No, pensó horrorizado Esteban. Ella no debía ponerse de pie. Y él, menos. Perder el equilibrio justamente ahora hubiera sido horrible, hubiera sido infame. Dios lo perdona todo, menos cosas como ésta.

—Por el agujero nomás —dijo, deslizando la mano entre los dos asientos—. Pásemelo por el agujero.

De inmediato, y olvidándose por completo de dar las gracias y quizá hasta olvidando a la anciana, descorrió el cierre del portafolio, sacó el cuaderno, sacó un frasquito de anfetaminas, se tragó dos de un golpe y buscó una lapicera: encontró tres. Como equipaje, era representativo: un enorme cuaderno, las anfetaminas, tres lapiceras, una camisa, un libro de Jack London (a su tiempo revelaremos qué libro) y una bombilla para tomar mate cuya procedencia y utilidad ya iría descubriendo con las horas, aparte del citado cepillo de dientes que, vaya a saber por cuál arranque de ternura, había decidido llevar no en el portafolio, sino junto a su corazón. Apoyó sobre las rodillas el cuaderno abierto en una página en blanco. Lo veía todo muy claro ahora. Y todo quería decir *todo*. El mundo. Y su relación con el mundo. El porqué de su relación con el mundo y el porqué de su relación con Mara (con todas las mujeres, sí, pero especialmente con Mara), y el porqué de que a veces, durante la noche, todavía se creyera capaz de terminar su libro, y aun muchos otros libros que les hablaran a los hombres de otro hombre, de Esteban Espósito, con una voz tan angelicalmente bella y demoníaca que ellos se espantarían de sí mismos si eran perversos y, si no lo eran, quizá comprenderían que él de veras se había crucificado inmundamente, y se estaba matando, y se había hecho odiar por todos los que alguna vez lo amaron y ya había dejado de amar, y casi no podía sentir un solo sentimiento humano, por la pasión de ser feliz, de que todo hombre fuera feliz, por la locura de que todo hombre y aun toda cosa fueran bellos y felices, motivo por el cual se fue convirtiendo en lo que era, un egoísta hijo de puta, un sórdido egoísta hijo de puta que se emborrachaba por miedo a vivir y se acostaba con otras mujeres por miedo a vivir y no era capaz de confesarle a Mara que nunca la había querido por miedo a vivir, y a dejarla vivir, y ya ni siquiera escribía por miedo a vivir. Pero esta vez iba a decirlo palabra por palabra, a confesarlo todo. Iba, siquiera por una sola vez en su vida, a hacer algo irremediable, algo absolutamente sincero y honrado, e irremediable, pensó, o quizá ya lo estaba escribiendo porque desde hacía unos minutos se había puesto a escribir frenéticamente, ahogado por el calor y casi a ciegas, sacudido por los bandazos del ómnibus y los propios bandazos de su corazón mientras comprendía en algún lugar de su conciencia que le era absolutamente necesario conservar este delirio, esta embriaguez, porque si no escribía hoy esta carta no se iba a atrever a escribirla nunca. Hoy lo había emborrachado Dios.

Y en el mismo momento en que empezaba a meditar en el sentido cabal (religioso) de la palabra embriaguez, advirtió que el ómnibus estaba deteniéndose. Zárate. La Balsa. En la Balsa había una especie de confitería. Se pasó la mano por la frente empapada. No, no iba a bajarse.

Como aureolada, la Abuela Mística del asiento de atrás pasó junto al asiento de Esteban. No llevaba valija ni bolsón, llevaba un paquete, porque todas las abuelas del mundo viajan por el mundo con paquetes. Ella le sonreía. Y Esteban también sonrió, sólo que en dirección a su rodete, vale decir un poco a destiempo porque ella ya había pasado. De modo que no la vería nunca más. Y de modo que ella había venido custodiando, desde la mismísima calle Hornos, su portafolio y, sobre todo, su ancho cuaderno "Leviatán", de cuatrocientas páginas y, sobre todo, doscientas de esas cuatrocientas páginas cuadriculadas de su gran cuaderno de tapas duras, robado, seis años atrás, en una ruinosa librería de Córdoba que, por si no se cree en el destino, se llamaba nada menos que Fausto. Bruscamente, Esteban se puso de pie, mejor dicho se puso de pie sin pensarlo y eso lo ayudó a pararse. O quizá ya le estaban haciendo efecto las anfetaminas, porque se encontró dando grandes zancadas por el pasillo del ómnibus detrás del rodete de la abuela, al que alcanzó a decirle "gracias" en el momento exacto en que llegaba a la puerta. Ella se dio vuelta y volvió a sonreír. "Pero hijo", murmuró como una música. Y Esteban la vio irse de su vida, con su gran paquete y rodeada de ángeles o de parientes que la esperaban, parientes o ángeles a los que no quiso mirar porque también le pareció oír la voz de un chico quien, en contados segundos, le robaría para siempre el amor de la abuela, que sin saberlo, y más que nada sin importarle, había venido custodiando los diez primeros capítulos de algo que en términos generales podía llamarse su apuesta contra el tiempo, o el embrión, informe, pero el embrión, de su grande y verdadera conversación con el demonio: su Pacto con el Diablo. En el pasillo del ómnibus algunos impacientes parecían tener una idea distinta de la de Esteban acerca del uso de la puerta, pero ¿qué hubiera pensado la abuela de conocer el contenido del cuaderno?; esa pregunta lo hizo sonreír y, por el momento, le impidió moverse. Mejor ni imaginar qué hubiera pensado, como también era mejor no imaginar (y dejó de sonreír) al niño o los niños de ahí abajo, a los que detestaba sin ningún escrúpulo, aunque (y volvió a sonreír) todo el mundo había podido escuchar que Esteban fue llamado "hijo" y no, como la primera vez, "señor". Y en cuanto al problema del Bien y el Mal, al fácil símbolo del demonio durmiendo protegido en el regazo de la abuela, al combate milenario entre la luz y las tinieblas, se lo regalaba a los pasajeros sin imaginación, ya que él había adivinado, hacía seis años, y también en un ómnibus, sólo que aquel iba al Cerro de las Rosas, que nunca hubo tal combate y que el gran Dostoievski le había errado fiero cuando murmuró aquella cochinada de "si Dios no existe, todo está permitido" (donde Dios viene a ser una especie de cuco o Cabo de Guardia boyando entre las nubes para que el pequeño Fiodor se porte bien y tome toda la sopa), porque lo realmente trágico es que *todo está permitido siempre*, exista Dios o no, o dicho de otro modo, que el único problema es el del Mal, y ahí sí que te quiero ver, escopeta, se dijo Esteban y dejó libre la puerta un segundo antes de que se desatara un motín en el pasillo, y, luego de guiñarle un ojo a un señor petisito, caminó con asombrosa firmeza hacia su asiento.

Ya sentado advirtió dos cosas: que, excepto el chofer, en el ómnibus no quedaba nadie; que había caminado con demasiada firmeza. La segunda, lo alarmó. Y estaba a punto de descubrir por qué, cuando oyó que ningún pasajero podía quedarse en el coche durante el cruce del río.

—Pero yo necesito terminar una carta —dijo Esteban algo absurdamente, pero con voz normal.

—En el ferry hay bar —dijo el chofer.

Qué ferry, de qué me está hablando este hombre. Y qué quiere insinuar con lo del bar. Quién le preguntó si había o no bar.

Cuando lo comprendió estaba en el ferry boat. Pidió un café y una jarra de agua. Abrió el cuaderno. Miró el reloj del bar. La sombra fresca y el aire de río le hicieron cerrar un segundo los ojos.

—Esto es suyo —oyó.

Abrió los ojos y vio que el mozo le alcanzaba el cuaderno; pensó que no lo había oído caer y volvió a mirar el reloj. Casi grita.

—¿Qué hora es ya?

Habían pasado quince minutos. Entonces comprendió por qué lo había alarmado, en el ómnibus, caminar con cierta seguridad: si se le pasaba la borrachera, si descansaba, nunca seguiría escribiendo esa carta.

—Un whisky —dijo—. Doble.

Era insensato, sí, era una locura o un suicidio o era simplemente la excusa más formidable que se le había ocurrido nunca para seguir emborrachándose (porque ¿podía jurar que no se trataba de una excusa? ¿no había sido esto precisamente lo primero que pensó hacer al despertarse?) pero, fuera lo que fuese, ya no le importaba. Iba a escribir incluso lo que estaba haciendo y hasta la ambigüedad de lo que estaba haciendo. Sin tocar el whisky escribió de un tirón otra página; cuando comenzaba la tercera notó que ya se lo había bebido y llamó al mozo.

—Otro —dijo.

—¿Igual? —preguntó el mozo.

—Va a ser difícil que sea peor —dijo Estaban.

El mozo se reía, era su cómplice. Un mozo que reconoce la jerarquía alcohólica de sus clientes, un mozo al que se le pueden pedir favores. Cuando volvió con el whisky, Esteban le preguntó cuánto faltaba para terminar el cruce.

—Una media hora —dijo el mozo.

—Perfecto. Hágame un favor: dentro de diez minutos me sirve otro. Igual. Y un momento antes de atracar me trae una botellita de agua tónica; antes la destapa y le echa una medida o dos de algo, gin o ginebra. Y la vuelve a tapar. Es para llevármela al ómnibus. Esta noche tengo que dar una conferencia en Entre Ríos, y si no consigo dormirme en el viaje, se imagina.

Estaba hablando demasiado. De cualquier modo, el mozo pareció imaginarse.

—Sí, yo tampoco puedo dormir en los viajes —dijo, como si el diálogo estuviera ocurriendo a medianoche.

Esteban no tenía la menor idea de cómo iba a pagar nada de lo que había pedido. Y aunque te parezca mentira, escribió, lo único que lamentaría si llego a armar un escándalo es haberlo defraudado al mozo. Parecía absurdo, sí, y seguramente lo era, pero él se había pasado la vida sintiendo (cómo escribirlo, sin embargo, cómo no adivinar tu gesto de fastidio ante la inminencia de las grandes palabras, cómo ignorar los efectos que produce en el ritmo de tu respiración, en los músculos de tus párpados y de tu boca, mi arrebatador estilo), sintiendo que tenía una deuda con todos los hombres. Especie de locura mesiánica o consecuencia de haber leído de muy chico a Dostoievski y haberse tomado en serio aquello de que todos somos responsables de todo ante todos. O la conciencia de haber llegado a los treinta y tres años sin cumplir una sola de las fastuosas promesas que había hecho, y se había hecho, en la adolescencia. Como todos los hombres, claro, pero sin que esa excusa, a él (que era el rey de las excusas, el archimago de las coartadas), justamente esa excusa le estuviera permitida. No iba a cambiar su manera de vivir después de esto (lo escribió mientras se tomaba el whisky y miraba furtivamente la hora), más bien tenía la sospecha de que éste era un Rito de Pasaje, la antesala de algo parecido al Infierno, si se le permitía la expresión; no, no iba a cambiar de vida ni, mucho más modestamente, de hábitos; pero él sabía que después de un acto como éste ya no iba a poder mentirse, ni mentirle, porque ni ella volvería a creerle cuando él, y sintió que no se iba a animar a escribirlo y de un trago acabó con el tercer whisky que misteriosamente había aparecido sobre la mesa, notando al mismo tiempo que la longitud de sus párrafos no guardaba relación alguna con el tiempo que le llevaba redactarlos (suponiendo, pensó, con un vago temor, pero sin atreverse a leer lo escrito, que realmente estuviera escribiendo las cosas que pensaba), ni ella volvería a creerle cuando él le dijera que sólo existía la literatura y no otras mujeres, mujeres a carradas, hechas no de palabras, hechas no de estas sombras, sino de carne y hueso, Mara, y hasta de una especie de ternura que también era vagamente parecida al amor, o lo era ciertas noches como la que seguramente tendría hoy mismo después de su conferencia en Concordia, por qué no, ni ella volvería a creerle ni él a usar la cama para justificar la impotencia de lo que en una época le gustaba llamar su alma, ni a usar su alma para justificar la sordidez de su cuerpo, ni el alcohol para insultarla como ahora, que era la última vez, pero hoy no por humillarla, no por odio (y de reojo vio al mozo parado junto a su mesa con la botellita de agua tónica, lo que significaba que era necesario dejar de escribir y sobre todo pagarle, y, sobre todo, ponerse de pie), sino como un acto de fe, ya que entre ellos era un poco grotesco hablar de actos de amor.

—¿Cuánto es? —preguntó en la mitad del último párrafo.

Terminó de escribir, cerró el cuaderno y se puso de pie.

Repentinamente marinero, abrió las piernas esperando el sacudón. La balsa atracó con un estrépito de maderas y cadenas que correspondía más a una novela de Joseph Conrad que a un mero cruce interprovincial argentino. Que Dios me ayude, pensó, mientras con una mano apretaba el cuaderno contra su cuerpo, y con la otra guardaba la lapicera en el bolsillo trasero del pantalón, mano que reapareció bajo el sol con un billete de mil pesos, de la misma manera, limpia y enigmática, que podría haber instalado en el mundo una paloma.

—El vuelto es suyo —dijo Esteban.

Recibió la botellita como quien oye aplausos.

—Que tenga suerte esta noche —dijo el mozo.

Y ahora, ya en el ómnibus, Esteban pensaba que hoy no era el día de su muerte. Conoció su inmediato futuro. Supo, por ejemplo, que iba a terminar esa carta. Dentro de una hora, supo también, su borrachera habría llegado al límite, a la franja purpúrea donde la lucidez es casi sobrehumana y la locura acecha. Allí, por el término de otra hora, él volaría lentamente con las alas desplegadas a muchos metros sobre el mundo y los hombres. La hora siguiente, gracias al alma adicional cautiva en la botellita, no sería demasiado atroz. Si conseguía escribir durante esas tres horas sin pensar en otra cosa, y especialmente sin pensar demasiado en lo que escribía, la carta estaría terminada antes que el cansancio, el alcohol y las anfetaminas, actuando como de costumbre, lo fulminaran en un sueño que podía durar dos o tres horas más y del que despertaría, también como una fulminación, en un estado tal que ningún directivo de Amigos del Libro, sin conocerlo, podría diferenciar de la más absoluta normalidad. Antes, claro, debía lavarse la cara y los dientes. Y antes, en alguna parada del ómnibus, comprar un sobre, una estampilla y echar la carta. Después de esto vendría el sueño. Y al despertar, en el pueblo anterior a Concordia, recién entonces se lavaría la cara y los dientes. Y se cambiaría la camisa. Y al llegar a Concordia, ¿quién bajaría del ómnibus? Un escritor todavía joven, pálido por el viaje y ojeroso por las diez horas de calor y ripios, vagamente parecido a Montgomery Cliff en *Mi secreto me condena,* casi tan inmortal como diez años antes, aunque mucho más solo.

Y así fue como Esteban Espósito supo que ése no era el día de su muerte.

Y escribió. Semiahogado, por el calor, con el cuaderno sobre las rodillas encogidas, el cuerpo empapado por la fiebre y la garganta y la nariz resecas, escribió, poniendo mucho cuidado en dibujar las palabras, de manera que se podría haber dicho que lo hacía casi con amor, si la necesidad de presionar la lapicera sobre el papel y la costumbre de apretar los dientes no le dieran al acto un cierto aire de ferocidad, metido en ese ómnibus que corría bajo el sol por un increíblemente liso camino de ripios abierto en algo bastante parecido a una selva, y que quizá era una selva si sus nociones de geografía argentina no eran muy fantásticas (¿me habré perdido yo también en medio del camino de mi vida?, ¿será pueril la asociación?, ¿entenderás, no digo ya las palabras, entenderás siquiera mi letra?, ¿querrás llegar, como yo, hasta el final de este cáliz, o carta, o acto de purificación, o crimen?, ¿no querrás imaginar generosa, y sobre todo cobardemente, que todo esto es obra de un borracho, ni siquiera de un borracho, ya que está muy claro que yo no soy *ellos,* sino obra de una borrachera, una especie de acné tardío que se cura con el matrimonio y sus consiguientes preocupaciones por la leche en polvo, la diarrea estival y otras responsabilidades civiles?), sabiendo que si se detenía a pensar un segundo, todo estaba perdido, poniendo mucho cuidado no sólo en dibujar las palabras sino en evitar que las gotas de sudor cayeran sobre el papel y las borronearan con efecto doblemente desastroso, Esteban escribió. Tenía conciencia de que nunca volvería a recordar nada de lo que ahora le resultaba tan claro; sabía, sobre todo, que si no acababa esa carta y la despachaba a Buenos Aires antes de llegar a Concordia, volvería a leerla y le parecería insensata, y hasta se felicitaría por no haberla enviado, y esta misma noche, caminando entre los palmares sometido al imperio de la Luna, o más bien acostado en cualquier hotel con alguna joven asistente a su conferencia bajo el efecto de varios whiskys, acabaría explicando que su relación con Mara era un horror demasiado complejo para que no fuera también un modo del amor, por lo menos de agradecimiento, y terminaría preguntando por qué tenía que venir a encontrarla justamente a ella (a la muchacha de la conferencia, no a Mara), justamente en ese momento de su vida y en esa ciudad de mierda, y si las cosas marchaban bien conseguiría que la muchacha viajara de vez en cuando a Buenos Aires, hasta que la incomodidad, la amenaza de un cariño conflictual u otro conferenciante asesinaran este idilio de luciérnagas. Y también lo escribió. O escribió algo que equivalía a eso. Con una alegría angélica, con un dolor absoluto, purísimo, como el que debe sentir un animal con el vientre rajado, escribió. Escribió sobre su cobardía y su egoísmo, y era consciente incluso del egoísmo y la cobardía que significaba la liberación de escribirlo. Escribió muchas veces la palabra amor, y escribió, o creyó que escribía, cómo él había nacido para celebrar el amor y cómo, sin que nadie tuviera la culpa, fue cayendo poco a poco en el odio, primero hacia sí mismo y luego hacia ella, un odio que le corrompió el corazón pero no alcanzó a destruirlo porque él aún creía, él sabía, que el amor vendría a instalarse sobre la triste Tierra. Y escribió qué era lo que quería de la vida, y cómo, aunque esta misma noche buscara desesperadamente una muchacha contra la cual poder dormirse y mañana volviera a emborracharse y quizás ya no le quedara tiempo, no le estuviera permitido acabar aquello para lo que había venido al mundo, desde hoy sólo viviría para consumar su idea de la vida. Que no es, escribió, lo que vos llamarías ser feliz. Porque vos te conformabas (!) con la felicidad y yo descubrí hace años que el mero hecho de vivir implica que la felicidad no existe, y que, en todo caso, eso que ustedes llaman felicidad, ese sol risueño, esa pequeña flor de cada mañana, aunque es cosa buena a los ojos de Dios y se puede construir acá abajo y da alegría, no tiene nada que ver con mi destino. ¿Que cómo lo sé? Porque yo, Mara, o cierta clase de humoristas como yo, estamos en el fondo mucho más dotados que nadie (Esteban tachó por primera vez una palabra y puso ustedes) para esa felicidad que voy a llamar humana, aunque lo mejor sería hablar en plural y decir pequeños cristales límpidos y redondos, felicidades. No habría más que abandonarse y aceptar las pueriles, hermosas, inocentes cosas de la vida, atarse a la vida y dedicarse a crecer y multiplicarse, ni hace falta amar, basta un poco de alegría. Yo sé que pude eso y no lo quiero, y ahora, aunque lo quisiera, ya no podría, porque también sé que algo hice, o sucedió algo, que me volvió desdichado, ya termino, algo que me dejó sin alegría para compartir con nadie.

Y escribió dos o tres palabras más, levantó la cabeza, lo sorprendió la calcinada inmovilidad del paisaje y volvió a escribir: acto de fe. Ya que entre nosotros es un poco grotesco hablar de actos de amor.

Y firmó. Y recién entonces tomó plena conciencia de que acababan de cruzar la segunda balsa y que ahora estaba en el comedor de una posta de la ruta. No tenía una idea muy clara de cuándo (ni cómo) había bajado del ómnibus. Vio brumosamente que el señor petisito se anudaba con dignidad una servilleta en el cuello. Vio a través de la ventana la desolación de una calle de tierra y un quiosco de revistas y cigarrillos. Todo esto era importante, le hubiera gustado saber por qué. Con mucho cuidado arrancó del cuaderno las hojas escritas y las dobló. Se puso de pie: debía comprar un sobre. Eso era. Y una estampilla. Buscó en el bolsillo delantero del pantalón y verificó que le quedaban cien pesos. Si su experiencia no le fallaba, debía tener más, tan arrugados como éstos, distribuidos secretamente en los lugares más astutos. Por cábala no siguió buscando. Ya aparecerían a su debido tiempo. No había que mostrarse desconfiado con la Divinidad, ni impaciente. Moisés debió meterse la varita en el culo cuando sintió el impulso de volver a golpear la piedra. Lo que tenía que hacer ahora requería cierta firmeza de carácter: llegar al quiosco. Y antes pasar entre esas dos mesas y abrir la puerta. El quiosco estaba fácilmente a seis o siete metros.

Llegó. Se apoyó un segundo en la vitrina de los caramelos.

—Un sobre —dijo, o al menos le pareció que lo dijo.

La calle, a pleno sol, era una especie de calle del *Far West.* No se veía más que la estación de servicio, el restaurante, este quiosco y dos o tres casas en cuyas puertas la gente parecía vender sandías o grandes zapallos.

—Qué —oyó.

El hombre del quiosco lo miraba con demasiada fijeza. Esteban comenzó a transpirar. No sólo pedir un sobre, sino estampillas. Y había algo más, algo en lo que hasta ahora nadie ha pensado. La idea le heló la espalda.

—Y un buzón —dijo.

El hombre se echó hacia atrás. Esteban lo miró directamente a los ojos.

—Un sobre —repitió con absoluta claridad y en un tono más bien amenazante—. Un sobre para cartas. Y una estampilla. Y dígame —dijo contemplando la calle de tierra, descubriendo a su lado un pato que lo miraba sin interés— dónde hay un buzón cerca. Un buzón o algo. —Porque de pronto pensó que en los pueblos, suponiendo que aquello fuera un pueblo, nunca había visto buzones.

El hombre, con calma, cortó una estampilla. El pato desapareció moviendo la cola. Buzón, dijo el hombre, un buzoncito. Después le mostró tres sobres. Esteban le sacó de las manos el más grande y metió la carta dentro. Abultada espectacularmente. Compró dos estampillas más.

—Buzón no, estafeta —dijo el hombre—. Hay una estafeta seis cuadras para adentro —y siguió hablando, mientras Esteban pensaba que caminar seis cuadras ahora, bajo ese sol, estaba más allá de las posibilidades humanas. Seis de ida, porque además había que volver—. Son noventa pesos —dijo el hombre, alisando sobre el vidrio el billete de Esteban—. Cien pesitos. El vuelto se lo debo. La gente que viaja nunca paga con monedas, y si no pagan con monedas, yo de dónde las saco. ¿Quiere un caramelo? Esos de ahí son de diez. Tiempo de ir y volver tiene, ahora que yo... —y volvió a mirarlo, frunciendo la boca, como si calculara los días de vida que le quedaban a un enfermo grave—. Vea, si usted quiere...

—No —lo interrumpió casi con terror. Lo que el

hombre iba a ofrecerle era echar él mismo la carta. Y Esteban no podía arriesgarse a que lo olvidara, o la extraviase, o la despachara catastróficamente una semana después cuando él ya hubiera vuelto a Buenos Aires y las cosas tuviesen otro signo, sin contar que, por motivos que ahora no tenía muy claros, echar esta carta era asunto de él.

—Gracias —dijo.

Y con el portafolio en una mano y el caramelo en la otra, echó a caminar por el centro de la calle. Dos cuadras había dicho el hombre, primero dos cuadras hasta la casa amarilla de techos colorados. A partir de allí, las otras seis, hacia el río. Lo que hacía un total de ocho, lo que significaba *dieciséis.* Caminó una cuadra y pensó que se desmayaba; al llegar a la tercera se dio cuenta que había pasado de largo frente a la casa amarilla, sin verla. Dio la vuelta. Entonaba, dentro de la cabeza, una marcha militar. Cuando llegó a la casa amarilla dobló instintivamente hacia la izquierda, sabiendo, antes de ver las veredas arboladas de naranjos, que no se había equivocado. Parecía la entrada de un pueblo. Debía imaginarse el pueblo si quería seguir caminando. Casas con zaguanes frescos, baldosas y mayólicas, macetones con helechos, viejas señoritas con baúles y trajes de novia, jamás usados, dentro de los baúles. Caminaba muy erguido, pero ahora más lentamente: desde alguna ventana enrejada, por entre el crochet de las cortinas, debía estar mirándolo una muchacha. El crochet lo ha tejido la abuela. La muchacha tiene ojos violetas y, vaya a saber cómo, conoce su tristeza. Y Esteban se encontró de pronto frente a la estafeta de Correos. La puerta, cerrada con un candado: fue lo primero que vio. Y pudo haber sido lo último (ya que irremediablemente sintió que, por lo menos, se volvía loco) sí, a punto de perder el equilibrio, no se hubiera aferrado a una especie de cajón que sobresalía de la pared. Vio en la cara superior del cajón una ranura; vio, mientras recuperaba la verticalidad y el sol cantaba sobre su cabeza, un letrerito que decía: "Correspondencias". Así, con *s* final: correspondencias. Cuando estaba por echar la carta vio a sus pies un perro de ojitos helados que lo miraba socarronamente. Un perro o algo así como una especie de perro. Y Esteban, que durante un segundo tuvo la nítida impresión de que alguien reía (una carcajadita en el centro exacto de su nuca, no hay un modo más humano de explicarlo), dejó caer el sobre en la irrevocable tiniebla del cajón. El perro, si se trataba realmente de un perro, era más bien pesadillesco, aunque algo cómico; tenía el aire de un jabalí liliputiense, pero peludo. Esteban, plácidamente, se sentó junto a la escalofriante criatura en el umbral de la estafeta. "Picho", murmuró sin convicción mientras desenvolvía el caramelo. Después, por desviar la vista de su terrorífico compañero de umbral, al que por algún motivo resultaba casi irrespetuoso ofrecerle cualquier tipo de golosinas, hizo como que leía las inscripciones grabadas en el cajón de las cartas. Cuando aquello se quedó quieto, leyó, extasiado e incrédulo, que Betty era bombachuda. Incrédulo no porque lo dudara, sino porque abajo firmaba Dante. Betty Bombachuda, Dante. Y todo envuelto inesperadamente en el dibujo de un corazón herido de un flechazo. El perro lo miraba con malignos ojitos de inteligencia. Esteban se puso a comer su caramelo: "Voy a perder el ómnibus", murmuró con objetividad. "Es notable que, justamente ahora, me pase esto". Después estaba corriendo junto al ómnibus en marcha; sin saber cómo había vuelto y golpeaba la puerta para que le abrieran. Subió y dijo algo que quería significar:

—Despiérteme en la parada anterior a Concordia.

En su asiento vio la botellita de agua tónica, intacta. Abrió la ventanilla y la tiró al camino: antes tomó un trago no muy grande. Apoyó la cabeza en el respaldo y, como si hubiese recibido una pedrada en la frente, se durmió.

Se despertó solo, tres horas después. Bajó del ómnibus y volvió a subir con la cara lavada, la camisa limpia y oliendo fuertemente a mentol. Cuarenta minutos más tarde, los directivos del Círculo Impulso de las Artes, que así se llamaba por fin la estimulante institución, recibían, en la terminal de Concordia, a un no muy conocido pero promisorio y desconcertantemente joven y buen mozo escritor capitalino, aunque en realidad no tan buen mozo ni joven como de aire interesante y aspecto juvenil, pese a las ojeras y al gesto caviloso o distante que denotan el hábito de meditar sobre el contradictorio corazón del hombre o el haber rodado varias horas sobre ripios; apuesto disertante que en una mano llevaba un portafolio y con la otra saludaba cortésmente a todo el mundo, y que pareció encantado con la idea de que la muchacha del lunar, esposa del contador Unzain, director del Círculo (desdichadamente empantanado en su campo de Villaguay, a unos cien kilómetros de Concordia), fuera la encargada de hacer que lo pasara lo mejor posible; conferenciante que, si aceptaba quedarse unos días, sería llevado a pasar el *week-end* a una quinta preciosa cerca de los palmares, y al que pronto todos miraron con asombro. Porque Esteban, en el momento de entrar en el automóvil de su joven anfitriona con lunar, se irguió como electrizado, se llevó la mano a la frente y soltó una carcajada límpida, larga, sonora y bastante fuera de situación. Todo: lo había hecho todo, menos ponerle la dirección al sobre. Era tan cómico, que daba miedo. En el fondo de un buzón de madera donde Dante había dicho su última palabra sobre Beatriz y un asesinado corazón dibujaba para siempre su muerte, en algún lugar del país, del mundo, en un pueblo perdido del que Esteban no conocía siquiera el nombre ni se iba a molestar en averiguarlo nunca, yacía, porque la palabra era yacía, algo así como su propio corazón asesinado bajo la apariencia de un abultadísimo sobre sin destinatario, en el fondo mismo de un cajón de madera, como el propio Esteban algún día, vigilado socarronamente por un perro como de sueño con ojitos de jabalí.

Lo miraban.

—No, nada —comenzó a decir y entró en el auto mientras sonriendo repetía que no, que no se trataba de nada que pudiera explicar, no al menos tan pronto. Era, había sido, una especie de broma, algo muy gracioso. Esas cosas que a veces ocurren en los viajes.

De la agenda cuadriculada

1.-La sustancia del Universo es una, y es sagrada.
2.-La diversidad de sus manifestaciones se funde en el todo, que es la unidad.
3.-Lo de arriba es como lo de abajo: análogo en su forma, y en su esencia, igual. El mundo de los opuestos se resuelve en el equilibrio.
4.-La forma y el sexo son misterios divinos.
5.-Hacia arriba o hacia abajo, el hombre sólo avanza por grados.
6.-El hombre conoce el macrocosmos por el microcosmos, pero él mismo y toda cosa son macro y microcosmo, porque cada cosa supone el Universo como el Universo contiene toda cosa.
7.-*Nihil nihilo fit* es blasfemia y error. Sólo por la nada hay ser.

Y en cuanto al artista iniciado, al poeta mago, comparte con el iluminado estas tres características:

3.-Es ritualista y solitario por disciplina o por naturaleza, y voluntariamente asocial, pero a diferencia del hombre puro, suele ser desdichado o suicida.
2.-La sociedad lo considera demoníaco o santo, angustiado, vidente, pecador o loco.
1.-Quiere imitar a Dios.

SHELOMO IBN HEIJAL BEN GAINOM: *La escalera de nueve peldaños.* Montevideo, 1935. Trad. del hebreo por JACOBO FIKSLER.

"Ellos" o el Panteón

...Gérard de Nerval encontró el pasaje entre el pensamiento y los actos, pero su conducta de Vidente llegó a ser difícil de aceptar para el Gran Público. Un día lo vieron en el Palais Royal, arrastrando una langosta viva con un listón azul. Se lo quiso hacer razonar. Pero se enojó: "¿En qué es más ridículo este animal que un perro, que un gato, que una gacela, que un león o que otra bestia de las que hay costumbre de hacerse seguir? Me gustan las langostas que son tranquilas, serias, saben los secretos del mar, no ladran y no tragan la esperma de las gentes, como los perros, tan antipáticos a Goethe, que sin embargo, no estaba loco". Sus amigos lo condujeron a la "casa" del doctor Blanche. Entró el 21 de marzo de 1841... ¿Cuándo salió?

...Mara, a mi lado en la cama, atendió por fin el teléfono. "No sé si está", dijo con naturalidad perfecta, sin la menor emoción. Yo tenía los ojos cerrados y respiraba honda y pausadamente; hasta tuve la súbita inspiración de frotarme suavemente la punta de la nariz con un dedo. No me creyó del todo: lo advertí en su silencio. Un silencio demasiado largo. Supe que me miraba, supe que luchaba por creerme. ¿Era ternura o sadismo? Un segundo más y le arranco el teléfono de la mano, pensé. Entonces habló en voz baja, con un tan vago y remoto cansancio que sólo yo podía adivinarlo, un matiz tan secreto que ni siquiera ella podía saber que así era realmente su voz. ¿Yo detestaba a esa mujer o la quería? "Es para vos", me dijo. Ni se molestó en tocarme. Con el último resto de voluntad que me quedaba, emití un sonido gutural, pero no me di vuelta: no escondí la cara.

—Es una mujer —dijo Mara.

No abrí los ojos. Repetí el sonido, volví a llevarme suavemente el dedo a la punta de la nariz.

—Te llama una mujer, Esteban —dijo en el mismo tono.

—Que se mueran —dije yo, en sueños. El plural era mi último recurso; un rasgo de verosimilitud tan formidable que sólo podía escapárseme si estaba dormido. Esperó todavía unos segundos y volvió a hablar. Esta vez al teléfono.

—No está, señorita. Por supuesto, cómo no. Un momento que anoto.

La oí anotar. La oí repetir un número de teléfono con voz invulnerablemente atenta.

Colgó.

—Dice que la llames cuando *regreses*. —Mara utilizó el verbo regresar de un modo tan deliberado que la admiré. Yo conocía ese modo de arrastrar la erre, llegó a mí desde el pasado. Casi abro los ojos.— Dice que se llama Cecilia —agregó Mara, mientras comenzaba a vestirse.

—Bueno —dije yo—, bueno.

—Quién es —dijo secamente Mara.

—Cómo voy a saber quién es. Le hubieras preguntado.

Hasta que se fue de casa Mara no volvió a hablar.

3

Visitando las ruinas

—¿Cómo me encontrás?

—Distinta, naturalmente.

—Vos, no. Vos siempre igual. Sólo que siempre un poco más viejo. ¿Y tu abnegada mujer?

—No tengo mujer. Mara, si te referís a ella, no es mi mujer.

—Ah, y qué es. Esclava. Amante. ¿La mujer de otro? Concubina. Novia. ¡Prometida! A que sí. Es increíble la cursilería que tuviste siempre, para no hablar del mal gusto.

—Bueno, eso no te hace demasiado favor a vos. Y qué tal si me dejás entrar. O en Europa se usa llamar a la gente por teléfono e insultarla en los pasillos. Estuviste en Europa, ¿no?

Ella se hizo a un lado y dejó libre la puerta con una reverencia.

—En Grecia —dijo—. Visitando las ruinas.

Entré.

El departamento tenía algo de provisional. Vi muy pocos libros, una mesita con mayólicas, un biombo. Vi almohadones de colores. Todo sumamente moderno y transitorio. Podía pertenecer a unas cincuenta mil mujeres solteras entre los dieciocho y los treinta años. Vi una gran fotografía de Picasso, en shorts, con una paloma en la cabeza. Vi a Los Beatles: en fila india cruzaban una calle. Paul McCartney descalzo y con el paso cambiado, detalle, sin duda, terriblemente simbólico. Y me di vuelta y vi, a unos centímetros de mi cara, la nariz de Cecilia.

—Esperá, hagamos un pacto —dije—. Hablemos un rato como gente normal. Si vos prometés no hacerte la inteligente, yo te prometo no hacerme el cínico.

Porque la nariz de Cecilia, aparte de ser un diminuto milagro de la naturaleza, era una especie de delicadísimo instrumento vibrátil destinado a registrar, con un segundo de anticipación, cierto tipo de tempestades que unos años atrás habían estado a punto de acabar conmigo.

Ella me dio un beso en la mejilla.

—Estoy contenta de que hayas venido ¿está bien? Sentate ahí. No, ahí no que quedás todo violeta. Ahí. Qué quiere decir "distinta" —preguntó de golpe, mirándome. Pero sin la menor lógica entró en el baño y la oí, durante unos segundos, revolver en el botiquín. Salió, con un vaso en la mano y una pastilla entre los dientes. Y ahora se la toma y cae redonda, pensé vagamente. Y mañana salgo en los diarios. Sin demasiada claridad a causa de la pastilla, dijo: —Y además pienso en vos. Mucho. Me acuerdo mucho de vos, quiero decir. Qué asco —agregó, tragándose aquella cosa con grandes gestos de envenenada—. Lo que me acuerdo mejor es que hablabas todo el tiempo y, sin embargo, dabas la impresión de que se te podía contar todo. Creo que con nadie he hablado más que con vos.

Admití que sí, que sabía escuchar.

—Sí —dijo—. Lo malo es que finalmente una llega a la conclusión de que no das pelota. Ponés cara, opinás, te calentás terriblemente por interpretar todo. Y después te olvidás.

—Distinta quiere decir que decís "dar pelota", por ejemplo.

—Qué.

—Eso, lo que dije.

—Ah, no, si te ponés en desilusionado vas a terminar queriendo acostarte conmigo. O acostándote, que es lo peor. Vos empezás haciéndote el incomprendido y terminás sacándote los pantalones. ¿Querés café? —Fue hacia la cocina y habló desde allá. —¿Whisky? —Se hizo un silencio amenazador, un hueco helado de pánico y silencio que, por error, me adjudiqué, ya que la palabra whisky me tomó por sorpresa, como si unos dedos me apretaran los ganglios debajo de la lengua, una sensación parecida a un calambre, no sé, una náusea arenosa; exactamente eso: como haber bebido repentinamente un trago de arena; silencio que sin embargo no provenía de mí, o no sólo de mí, sino también de Cecilia, quien, con la misma voz neutra con que acababa de ofrecerme café o whisky, ahora decía desde la cocina: —Me casé, sabías.

Oí el ruido de una botella y unos vasos: desde hacía tres días, los ángeles del cielo no tenían otra voz. Un whisky, pensé. ¿Uno? No contesté en seguida. Ella, supongo, lo atribuyó a la sorpresa. Y en parte tenía razón. Yo había conocido a Cecilia cuando ella tenía diecisiete años, todo bastante platónico, es cierto, y hacía siglos. Pero yo la quise mucho. O algo por el estilo, ya que por el momento no memorizaba bien ningún hecho de mi vida como no fuese *uno solo,* ocurrido justamente tres días atrás. Pero, respecto de Cecilia, me parecía recordar que alguna noche yo descubrí en ella cierta alarmante propensión a la trascendencia, a lo Absoluto, a las grandes tragedias, cualidad espiritual que podría situarse en las vibrátiles aletas de su nariz o acaso en el iris nictálope de sus ojos, más inmensos que los de cualquier mujer de esta tierra, o incluso en sus dos dientes delanteros separados por una ranurita casi imperceptible, dientes con vida propia, lo que hacía de Cecilia una cruza teofánica de Ligeia, conejo y Berenice. Y que a un soñador del siglo veinte, como yo, sólo podía inspirar dos tipos de chanchada: el suicidio a lo Lugones o el cauteloso amor a la distancia. Elegí la segunda, ya que, por decirlo así, aun dábamos la impresión de seguir con vida. De modo que ella perdió la virginidad en mis manos, lo que es casi literal, y si no es literal apenas menoscabó su reputación ni, quizá, su vagina. Y algo nos separó. Y comenzamos a fornicar con sabiduría cuando ella ya me detestaba, después de encuentros casuales, viajes míos en ferrocarril y largas conversaciones sobre la libertad de la mujer, el egoísmo del artista y el sentido metafísico de la cama. ¿O no fue exactamente así y acaso fue mejor? Tampoco era nada raro que hubiera sido peor. Y una Navidad, cuando yo volvía de algún naufragio remando contra el oleaje por un solitario océano de whisky, tuve una revelación. Descubrí por qué el buzón de las cartas, en mi casa, está a unos cincuenta centímetros del suelo; pues al abrir la puerta de calle, que estaba abierta, seguí de largo por esa súbita inconsistencia y quedé acostado en el pasillo, junto al buzón, y como tenía las llaves en la mano, renuncié a quedarme dormido allí mismo y lo abrí. Había un solo sobre y era para mí. Casi lloro al pensar en la soledad de los demás habitantes sin cartas de la casa, en sus fúnebres navidades. O a lo mejor ellos ya habían retirado sus tarjetas de colores, el amor trivial de sus frases, y lo más llorable de la noche era ese único sobre, cuya mensajera blancura no parecía compensar la tiniebla del caballero tirado en el pasillo, alumbrado por un fósforo, tosiendo de la risa. La postal representaba la tumba de Shakespeare. Estaba timbrada en Londres. No recuerdo la fecha; sí, el texto. "Hola y chau", decía: "Cecilia". Y ahora Cecilia estaba en Buenos Aires y se había casado.

—Con quién —pregunté.

—Con un pelotudo. Las mujeres como yo siempre nos casamos con pelotudos, ésa era tu teoría, al menos.

Traía una cubetera y dos vasos. Dejó todo sobre la mesita decorada con mayólicas. Fue hasta la cocina y volvió a salir, esta vez con una botella. La botella era de Kingston. Un litro exacto. Lo hubiera adivinado en el centro mismo de la noche polar. Encendió un cigarrillo.

—Divorciado, un hijo. Cuarenta años. Empezó hablándome de lo puta que era la mujer, claro. Yo jugué a hermana del nene, entre hermanita mayor y mamá, no sé si me entendés.

Se había sacado los zapatos. Hablaba de pie, con las piernas un poco separadas y una mano en la cintura. Me desafiaba, a mí o a algo. Si no les gusta, parecía decir, pueden irse.

Yo dije que entendía. Ella se sentó en el suelo. Pensé si no se había olvidado por completo de lo que acababa de traer.

—Qué mirás —dijo.

—Nada. Te miro.

En realidad, no la miraba. En realidad estaba pensando en qué iba a suceder cuando Cecilia se decidiera de una vez a usar para algo esa botella. No hay botella de whisky, sea nacional o importado, no existe una sola botella de whisky en el mundo que acepte permanecer en el centro de una mesita, sin hacer algo, ni la mitad del tiempo que llevaba ésta. Eso pensaba. Son como máquinas, trabajan en secreto. Se vuelven infernales. Y pensaba que, a sólo tres días de mi regeneración definitiva, según un grotesco y humillante documento autógrafo, firmado por mí, depositado bajo llave en el alhajerito de Mara, en su casa, luego de mi última destrucción parcial de los espejos, cuadros y frágiles terracotas en mi casa, conducta que no era una primicia, y del intento de quemar la biblioteca, lo que sí resultaba bastante novedoso y alarmante, quemar la biblioteca y mis carpetas y hasta cierto cuaderno de hojas cuadriculadas que Mara (y lo que ató esa vez en esta tierra le será atado en algún Cielo) alcanzó a quitarme de las manos antes de encerrarse en el baño; a tres días de no haber podido controlar no digo mis reacciones sino mis esfínteres, ya que con perdón de Dios y de quien leyere no sólo en algún momento de la noche me hice pis, aparte de vomitar la cama, el piso, su vestido, sino que estuvo a punto de ocurrir alguna cosa más irrevocable (y, estoy seguro, más mortal), porque así es de vergonzoso y tenue lo que une el corazón a un intestino humano; a tres días de haber oído a una mujer gritándome *que me tenía miedo*, frase que hizo estallar la casa, y que me había perdido el respeto, frase que misteriosamente me paralizó ante la biblioteca, idiotizado, con una botella de líquido para encendedores en la mano; a sólo tres días, en suma, de uno de los más interesantes capítulos de la Vida Secreta de Esteban Espósito, no estaba nada bien tomarse un whisky. Lo curioso es que tampoco estaba nada mal. No todas las mañanas nos llama por teléfono una muchacha de largas piernas que ha vuelto de Grecia, una muchacha con una botella de Kingston. Casada o no, Cecilia estaba en Buenos Aires, con nariz y todo, y el reencuentro merecía un whisky. Y hasta dos, en cuanto me pusiera a pensar en que realmente se había casado. O aun tres, si seguía empecinada en no abrir esa botella.

—Todo bien mezclado con soledad, aunque te rías, y ganas de ser útil y complejo de Edipo. —Por lo visto seguía hablando de su divorciado; me lo imaginé elegantísimo, con gorra de capitán, en yate. —Lo malo es que a veces habla demasiado del carburador, del árbol de levas. Vos tenés idea de qué es un árbol de levas.

Hice un gesto vago. Si hubiese tenido idea, también habría hecho un gesto vago.

—Me lo sospechaba —dijo—. Y por eso te llamé. Y ya está: ahí tenés toda la historia.

—¿Y entonces?

—Así —dijo, y levantó imperceptiblemente el hombro.

La miré. Los "así" de Cecilia, aunque generalmente querían significar "se vive" o "qué sé yo", admitían otras cincuenta interpretaciones. También eran un modo de cambiar de tema. Ella estaba mirando fijamente la botella de whisky. La miraba con una fijeza que, sin saber por qué, me alarmó. Cuando por fin alargó la mano hacia la mesita, vi, o imaginé ver, que le temblaba la punta de los dedos.

—¿Con hielo?

—No tomo —dije.

Fue una inspiración repentina. Algo que no tenía nada que ver con la historia del alhajero, ni con Mara. Ni siquiera conmigo. Una especie de revelación. Sólo esperaba recordar bien las fechas.

—Ay, de veras —dijo ella—. Me olvidaba que eras Robespierre, el Incorruptible. —Apoyó dos finísimos y escrupulosos dedos contra el vaso y, con encantadora naturalidad, se sirvió el doble. No le puso hielo. Miró la biblioteca, alzó el vaso hasta sus ojos e hizo un ademán misterioso de brindar, aparentemente con un pato de paño lenci que tocaba el ukelele ante el diario de María Bashkirtsev. Se lo bebió de golpe. Y yo sentí que por primera vez en mi vida me recorría el espinazo eso que los libros, sin que nadie sepa de qué se trata, llaman un escalofrío. Cecilia cerró los ojos y los abrió. —El primero siempre es repelente —dijo; después me miró con una especie de ferocidad, achicando los ojos—. Todo, la primera vez, es repelente.

Volvió a servirse. Yo encendí un cigarrillo. De pronto ella puso el dedo pulgar bajo su barbilla, cruzó el índice sobre el puente de la nariz, y, frunciendo las cejas, habló con repentina voz de hombre. Fue tan inesperado que me asusté.

—Emborracharse, Cecilia, es una claudicación —gruñó con mirada terrible y me di cuenta con estupor de que estaba imitándome, parodiando sin piedad a un patético aunque abstemio joven poeta que yo guardaba celosamente en un rincón del corazón—, emborracharse, para un artista, es una facilidad, un síntoma de... ¿De qué era?

—De voluntad enferma —dije yo—. Sin embargo, con vos, yo me emborraché alguna vez.

Cecilia se reía. Volvió a beber y a servirse. No pude dejar de sentir que en esa habitación se estaba cometiendo un crimen. Con la botella, en primer término. Conmigo, por más de una razón. Y con Cecilia. Vagamente sentí que alguien estaba asesinando a Cecilia.

Insistí en que con ella yo me había emborrachado alguna vez.

—Ay, sí, me acuerdo —dijo ella—. Fue al principio, quiero decir en nuestra primera etapa, antes de tu Mara. Y ahora que lo pienso la última vez que te vi no se llamaba Mara. No importa. Me acuerdo que te agarrabas la cabeza y decías que no querías volverte loco, que no te dejara tomar nunca. Qué curda, eras un amor.

—Siempre fui un tipo emocionante.

—Habíamos salido del Náutico, te acordás. Había un baile, o algo.

—O algo, sí —dije—. Era tu baile de egresada. —Y ella se puso muy seria y volvió a beber.— Tenías un vestido tipo bombonera, un poco demasiado corto para mi gusto. Y una especie de coronita en la cabeza. "Jezabel", gritaba Frankie Laine, "¡Jezabel!" Y vos, por tu parte, me pedías que no te dejara ir de San Pedro. Y no a Grecia, a estudiar a Rosario: dos horas de tren. Habías soñado con una pared de cristal...

—No era cristal, ni siquiera vidrio —dijo ella—. Era una modesta pared como de piolines. Son unos piolincitos de mierda y, sin embargo, no se puede pasar al otro lado.

—Vidrio, o piolines. Es lo mismo. El hecho es que venían a ser la universidad de Rosario y sus desconocidas amenazas. Y alguien te había regalado una crucecita con un diamante que yo no podía dejar de mirar. Y no por motivos religiosos. Y ahora te confieso que tu escote era también un poco demasiado paradojal para tu estilo. Y me decías, envuelta entre piolines, que por Dios no te dejara ir, que tenías miedo.

—Sos una mierda— dijo con objetividad.

—No tenés sentido del humor —dije yo—. La gente que no tiene sentido del humor debe tomar agua mineral, te lo digo por experiencia. No propia. A Mara le pasa lo mismo. Toma unos whiskys y me insulta y rompe todo. Íbamos por la parte en que me agarraba la cabeza, en la barranca.

Volvió a reírse. Con la punta de un dedo le dio un golpecito al pato, que cayó de espaldas a los pies de María Bashkirtsev, tieso, pero sin abandonar en la muerte su ukelele.

—Eras tan cómico. Dios mío. Y fijate que esa noche te creí, quiero decir al final. Te tuve miedo.

No era lo más hermoso que podía confesarme.

—Sí, hay noches en que Drácula es un ruiseñor al lado mío —comenté buscando un cigarrillo—. Seguramente había luna llena. Espero que además no me hayas perdido el respeto.

—¿Qué? —dijo Cecilia.

—Nada. Una especie de extrapolación.

Ella se encogió de hombros y me miró, por encima del vaso.

—Estás prendiendo el cigarrillo por el lado del filtro —dijo—. Y además todavía no terminaste el otro.

Y yo supe que no estaba preparado para nada de lo que fatalmente iba a ocurrir, no al menos sin antes echarle mano a esa botella, y aunque no tuviera la menor idea de qué era lo que iba a ocurrir, ignorancia que se debía, justamente, al hecho demencial de no haberle echado mano a la botella. Nadie puede captar la realidad real, el mundo y su variedad infinita, simultáneamente y tal como es, estando sobrio. Ella volvió a beber, de la misma manera indiferente y súbita. Se levantó y puso un disco. Yo esperé a Los Beatles. En cuanto Los Beatles nos invadieran con su juvenilismo, esa botella pasaba como por arte de magia a mi estómago, y de ahí a mi corriente sanguínea, y de ahí a mi cerebro, y de ahí, como en una resplandeciente tolvanera de guitarras eléctricas, burbujas de oro y despedazados ángeles que aúllan, a la cama de Cecilia, conmigo y con Cecilia, no sin antes haber arrasado los placards de la cocina o lo que fuera que en aquel departamento hacía las veces de bodega. No eran Los Beatles, era una casi seráfica catarata de soda. El que inventó esa música miraba por su ventana la Luna entre los árboles. Era para bailar desnudo entre sicomoros rumorosos de pajaritos a medio dormir, bajo el agua bendita de la Vía Láctea.

—Es música griega —dijo Cecilia—. Jónica. Parece que con instrumentos parecidos a éstos se acompañaban los coros de la tragedia. —Con la punta de una uña se puso a raspar el borde de la mesita, después se quedó mirando la uña.— Así que la noche de mi baile de egresada. Pero ¿y por qué me acuerdo de vos y no de mí? Era *mi* baile. —Me miró sin interés, como un entomólogo a un jején. —Mirá si todavía te quise —dijo.

—Seguramente. O por lo menos esa noche. Pero contame cómo me emborraché. Oigo hablar de mí y me viene como una pasión enfermiza.

—Qué sé yo. Ya estabas borracho en el baile, yo ni me había dado cuenta. Decías que ninguno de esos hijos de puta que estaban ahí adentro, papá y mamá incluidos ahora que lo pienso, tenía ni la más remota idea de no sé qué cosa. Algo extraordinario, que representábamos vos y yo. Pero sobre todo vos. Y creo que únicamente vos. Yo estaba impresionadísima. Después salimos a caminar por la barranca y te habías robado una botella de whisky. Hablaste de poesía como tres horas.

—Y me tomé toda la botella.

—Toda. Te acordás.

—Me acordé de golpe. Y qué más.

—Lo increíble es que... No sé bien qué más. Te agarrabas la cabeza. Decías que siempre habías sabido que te ibas a volver loco. Y yo te creí. Quiero decir que era lindo, vos no entendés. —Volvió a servirse; no bebió. —Y entonces me juraste que nunca en mi vida te iba a ver borracho. Y nunca te vi, puta madre.

Y se bebió el whisky, siempre del mismo modo.

—Quién te enseñó a tomar de esa manera. Por lo menos ponele hielo; dura más.

—En Inglaterra. Así es como se toma en las brumosas islas británicas —dijo con repentina voz de ebria.

Se puso de pie y fue hacia el baño. Cuando volví a hablar, se detuvo en seco, de espaldas a mí.

—Y tu vestido era lila —dije yo—. Y tenía unas cintas en la espalda. Querías estudiar medicina para ayudar a los hombres, repito tu estilo, y yo te aseguraba que cuando le tuvieras que cortar una oreja a un finado, en la morgue, te ibas a pasar rápidamente a Humanidades. Tenías mirada de trotzkista. Y vos respondías que, por el momento, lo único que querías era poner la Luna entre dos rebanadas de pan, y comértela.

Se dio vuelta.

—Sos una mierda: insisto.

Le pregunté por qué; me contestó que no tenía derecho a acordarme de su vestido. "Es un golpe bajo", dijo, y entró en el baño. Y yo pensé de quién habría aprendido esa expresión, y pensé si las mujeres, en general, tienen alguna idea acerca de qué significa realmente lo que dicen. Golpe bajo. De todos modos, por qué me había acordado de su vestido. Y por qué me había negado a beber. Y con respecto a esto último, cuántos minutos iría a soportarlo. Si ella seguía tomando de esa manera, no muchos. ¿Qué quería demostrarle? Y sobre todo: por qué, no sin inmundicia, me sentía generoso.

Sonó el teléfono.

—No atiendas —dijo Cecilia desde el baño—. O sí, atendé. Revienten —dijo.

Yo atendí.

La voz impersonal de un telefonista me preguntó si ése era el número 80-3261. Miré el disco y dije que sí. "Su llamado con Córdoba", dijo la voz, "no se retire". Oí otra voz que repetía la palabra "hola". Tapé el auricular con la mano y llamé a Cecilia.

—¿Vos pediste Córdoba?

Ella estaba a mi lado. Me quitó el tubo de la mano.

—Hola —dijo—. Sí. Feliz cumpleaños. ¿Pudiste verlo? ¿Y ella...? Bueno, me imagino que todo habrá sido muy... Sos un encanto. No, por ahora no te extraño. —Me hizo señas de que le sirviera un whisky; se lo serví. —Todo bien. Nada, estuve en la feria hippie, y fui al cine... *Darling...;* la película *Darling...* ¿Ahora? ¿Y cómo sabés? ¡Qué psicólogo! —Tapó el tubo con la mano y habló conmigo. —Por la voz. Sabe que no estoy sola por la voz. —Volvió a hablar en el teléfono. —Con un escritor. No, solo no. Con un filito. No me oye, no, te hablo desde el dormitorio y están en el living. Tiene cara de besugo, él; ella es monísima, diecisiete años, vestido lila. Con cintitas. Quiere estudiar medicina y qué sé yo. Creo que viene de su baile de egresada. Tiene aire de putita pero él no se da cuenta, por ahora.

Yo salí del dormitorio.

—A eso le deben de llamar *charme,* ustedes —dije cuando volvió.

—¿Ustedes?

—Las mujeres.

—Ah —dijo—. Menos mal. Pensé que ibas a decir "tu clase". Hace unos años eras muy revolucionario.

Me reí.

—Estás loca. Si no me equivoco terminó siendo más bien al revés. La última vez que te vi yo era algo así como un esteta comunista decadente. Para vos y para tus peludos amigos de vanguardia. Les había dado por la pintura, soñaban que San Telmo era París y usaban camisetitas con la cara de Juan XXIII. Buenos Aires era una fiesta. Venía un tipo y te mordía la oreja y eso se llamaba happening. Exponían tachos. O uno le firmaba el culo a otro y decía: "Mi último cuadro". Tus amigos, vos también, organizaron una muestra colectiva sobre el Che. Y yo creo que eso fue lo que lo mató, no el ejército boliviano. Lo que vos habías hecho no estaba mal. Predominaba la lata, me acuerdo. Una especie de Jesús con ojos y barba de lata, crucificado en una metralleta. No estaba nada mal. Agonizaba. La metralleta era de papel impreso, y, si te acercabas, se veía que eran textos de Bakunin y del Evangelio. Me conmoví, a mi modo. Y me puso orgulloso que fuera tuyo. Pensar que a ésta yo le he hecho la mala porquería. Como sentirse padre. Pero había mucho olor a marihuana y me salió que era sacrílego romper a Bakunin y la Biblia para hacer semejante mamarracho. Ahí fue cuando me trataron de decadente. Y de comunista. Y de esteta. Yo los traté de putos. Lindo tiempo aquél, canejo. Pero lo tuyo no estaba nada mal. Qué manera de haber lata. Y piolines, piolines por todos lados, daban como angustia, daban la impresión de... —"¡Piolines!", descubrí maravillado y me interrumpí. —En fin —dije—. No le faltaba más que hablar.

—Esteban —dijo ella de golpe—. Esteban, Esteban.

—Qué. Si es por... Era la única cosa con imaginación que había en ese antro de malandrines. Y además te lo dije. Siempre supiste qué pienso de todo lo que vos...

—Por favor, no empieces con esa estupidez de todo lo que yo puedo hacer. Nunca te importó un pito lo que yo... Y a mí tampoco.

—Entonces, qué pasa.

—Sabés por qué te llamé. —No era una pregunta.

—No. Supongo que porque tu... ¿marido se dice?, debió viajar a Córdoba para ver a su ex mujer, o al chico, y te sentiste sola.

—Sí —dijo—. No. Pero también por eso, no sé. No importa.

—O porque te pusiste a hojear ese libro.

Hacía un rato más bien largo que yo venía vigilando los movimientos de María Bashkirtsev. O el libro me vigilaba a mí. Me había saltado a las manos un momento antes, cuando Cecilia hablaba en el dormitorio. *A Myltyl,* decía, enigmática o anacrónica, la dedicatoria. *A Myltyl, con quien algún día nos encontraremos para siempre en San Petersburgo.* Firmado: *Tyltyl.* Myltyl era Cecilia; la letra, mía. San Petersburgo, una alusión secreta a alguna cosa, tan secreta que yo ignoraba por completo su significado. Yo ya debía de tomar como una esponja en esa época, pensé, sólo que realmente no se me notaba.

—Lo que quiero decirte es que me voy, el lunes. Y ahora no quiero irme.

El lunes. Hoy era viernes. Vale decir que no me había llamado al llegar, sino al irse. Lo que sutilmente modificaba las cosas.

Hice el ademán instintivo de tomar la botella para servirme. Conseguí desviar la mano hacia el encendedor que estaba sobre la mesa. Busqué cigarrillos.

—Irte. Querés decir irte del país. Volver a Europa.

—Sí.

—Dame un whisky —dije yo. Me salió solo, con impresionante naturalidad. —Y traeme hielo, eso está todo derretido.

Ella fue a cocina, yo al baño. No quería quedarme solo ahí, con el vaso, mientras Cecilia estuviera lejos. Me estaba mirando en el espejo y diciéndome más o menos textualmente, a media voz, mirá hijo de una gran puta que si tomás más de dos whiskys ya no vas a poder parar, y no sólo esta noche, acaso ya no vas a poder parar más en tu vida. Mirá, imbécil, que a mí no me hacés creer que sos de los que pueden dar marcha atrás cuando quieren y sobre todo no le hacés creer más a una mujer que estás sobrio cuando estás borracho. Estaba mirándome en el espejo y departiendo conmigo mismo de esta suerte, cuando, en el botiquín, vi los anticonceptivos. Eso era lo que había tomado Cecilia al recibirme. Un poco demasiado directo, incluso para mí. Se toman todos los días, pensé, no es para tanto. Sin embargo, por qué no antes de mi llegada o después de que me fuera. Porque sí, porque se le dio la gana, pensé. Pero y la caja, por qué había dejado allí la caja.

Salí del baño. Cecilia, desde la cocina, hablaba ahora con voz de asesinada. La palabra soledad, otra vez. La palabra vacío. Lo peor de todo era algo catastrófico que acababa de ocurrir en alguna parte. Momento en que, sin ninguna premeditación, me tomé el whisky de un trago. En Punta del Este, lo catastrófico y quizás irremediable acababa de ocurrir en Punta del Este, y yo, mientras volvía a llenar el vaso hasta su nivel anterior, no sin antes beberme lo que quedaba en el de Cecilia, pensé qué tendría que ver Punta del Este con esta historia. Antonio, porque alguien ahora se llamaba Antonio, había quedado deshecho. Y ahora el chico vivía con la madre. O sea que Antonio era el hombre de los carburadores, que estaba deshecho, lo cual de algún modo lo volvía emocionante. Y por eso, en el fondo, Cecilia lo quería.

—Soy una yegua —dijo Cecilia, a mi lado—. ¿Eso estás pensando? Tomá tu hielo.

Yo no pensaba nada de eso. Me puse hielo, con deliberada lentitud alcé el vaso. En realidad, casi no pensaba. Sentado ahí, con un vaso a mitad de camino, me sentía repentinamente dueño de una especie de eternidad. En paz con Dios y con los hombres. Qué mal le podía causar a un ser humano normalmente constituido un trago de whisky. A mí, sin ir más lejos, me llenaba de bondad y condescendencia. Yo era un lord, un joven y mundano lord inglés que se tomaba su tiempo para beberse un Kingston. Y ahí estaba esa muchacha, Cecilia, ardida aún por el sol del mar Egeo. Pensé que la gente no tiene la menor idea de cómo son realmente las cosas. En cuanto me tomara ese whisky, yo le solucionaba para siempre la vida a esa mujer. Cuando el filo helado del vaso me rozó los labios, sentí que iba a cerrar soñadoramente los ojos. Tu fría boca enamorada de mí, oh locura, me recité.

—Si no querés, no tenés por qué tomarlo —dijo Cecilia—. No lo hagás por mí, bobo.

Dejé el vaso sobre la mesita con tanta fuerza que se astilló. Me puse de pie.

—Tengo que irme —dije.

Y en realidad, tenía que irme. Ahora mismo.

—No. —Cecilia me miró, aterrada. —No podés dejarme ahora.

Ella me necesitaba a mí, y yo necesitaba un whisky. O treinta. Las dos cosas estaban muy claras y, por el momento, eran incompatibles. También estaba muy claro que yo no debía beber delante de ella. Lo que siguió, fue disparatado, casi obsceno.

—Te juro que vuelvo. Es acá enfrente.

—Acá enfrente qué. No quiero que te vayas.

—Una cuenta. Un tipo me debe plata, por Dios. Y lo cité acá enfrente.

—Es mentira. Nunca en tu vida te importaron esas cosas. Me tenés vergüenza, lástima... qué. No me interesa.

Entonces grité: Gritando dije que estaba muy equivocada. Lo único que me importaba en el mundo era el dinero. Con una elocuencia repentina y gigantesca dije que yo era un artista, no un divorciado que viaja a Grecia y se quiere suicidar en Punta del Este, y que lo único que le importa a un artista es el dinero. Si pudiera se acostaría con el dinero. Para todo lo otro, están ellos mismos. Nosotros, grité. Y grité que se había vuelto loca si creía que ella me daba lástima o vergüenza, porque lo único que me daba eran ganas de meterla en la cama y de no dejarla ir en mi vida, pero que yo era un tipo pobre, que no es lo mismo que un pobre tipo, una especie de miserable para quien diez mil pesos, porque de pronto todo resultó tan cierto que hasta supe la cantidad exacta, para quien diez mil pesos tenían un sentido casi metafísico, una grandeza que nunca iban a comprender los tilingos cornudos que viajan a las Cícladas y vuelven con su disquito de música jónica.

Y entonces supe que un whisky no emborracha pero tal vez vuelve loco, porque de pronto agarré la cabeza de Cecilia, acerqué su pelo a mi nariz y dije:

—Diez mil piojosos pesos. Lo que vale el perfume que te regala tu Henry Ford.

Cecilia estaba conmovida. Le temblaban como pétalos las aletas finísimas de su nariz. Dijo:

—Qué olfato.

Yo ya había abierto la puerta del departamento cuando ella, dándome las llaves, agregó que aunque el señor del bar ya se hubiera ido no me preocupara. Era horrible oírla. Diez mil pesos o lo que necesites, dijo. También dijo que yo era el único tipo al que se le podía decir eso sin sentir vergüenza, que volviera en seguida, y me besó. No volví en seguida. No volví hasta haber descubierto por qué yo no podía emborracharme delante de Cecilia. De lo que ocurrió después no recuerdo casi nada. O sí, recuerdo sus palabras, al final. Pero sobre todo recuerdo que no volví hasta haberme tomado unas cuantas ginebras. Nadie sabrá cuántas. Y si yo sé que eran ginebras es porque, iluminado por la astucia que ciertos individuos tenemos en casos así, comprendí que en cualquier momento iba a necesitar dinero para seguir bebiendo y no era prudente gastarse todo en la primera sentada. Mientras tanto pensé. Calmado y lúcido, pensé. Me sentía como una batería recién cargada, tragué la primera medida doble con la decisión con que un tigre en ayunas le da su primer dentellada a una media res, de inmediato me invadió una especie de felicidad clarividente que era lo más parecido del mundo a la salud perfecta. Hay gente a la que le pasa lo mismo cuando come hígado, qué tenía de extraño. Ahí residen el misterio y el secreto del alcoholismo, y el que diga cualquier otra cosa miente. Que uno después se emborrache, es un accidente: el día que yo descubriese el límite, el inútil vaso donde esa felicidad se borra, el mundo iba a conocer una especie de Nuevo Elogio de la Locura que iba a dejar a Erasmo de Rotterdam a la altura de un gorgojo. Ay, Cecilia, pensé, si pudieras llegar a comprender la milésima parte de lo que estoy queriendo decir, y es probable que la imagen de Cecilia se yuxtapusiera con la de Mara, porque en algún momento tuve la tentación de llamar por teléfono a Mara, decirle estoy bebiendo pero no estoy borracho, te quiero como en el tiempo en que no te dabas cuenta de que sí estaba borracho y te dejabas llevar en brazos riendo por la calle ante la mirada reprobatoria, o mejor sabia y condescendiente de alguna vieja que seguramente pensaba estos dos son jóvenes, estos dos son felices, estos dos fundarán una dinastía de dioses. Naturalmente no la llamé. Decisión a la que contribuyó sin duda una ginebra que podría ser la quinta o la sexta y que centró mi atención en Cecilia. Delante de Cecilia yo no debía emborracharme, eso estaba muy claro, aunque me hubiera gustado saber por qué estaba muy claro, vale decir, yo había descubierto algo pero no tenía la menor idea de qué era lo que había descubierto, sobre todo si consideraba que cierta cantidad de ginebra tomada o no delante de ella, tomada por mí, al menos, a esta altura de mi descomposición hepática, era un poco difícil de disimular. Entonces me di cuenta de que, estando borracho, yo nunca le había sentido olor a alcohol a nadie. Y con la mitad de whisky que había tomado Cecilia bastaba para pasearse por una destilería como quien visitaba los jardines colgantes de Babilonia. Problema aliento resuelto: pedí otra ginebra. Claro que podía tropezar y caerme, pero hoy no era una noche así, esas cosas se intuyen. O todavía no lo era. Quedaba en pie, sin embargo, junto con un problema erótico en el que mejor no pensar, el problema verbal: ¿articulo tan claro como imagino después de siete ginebras? Con disimulo me tapé la boca con la mano y murmuré hacia mi oído que en un plato de trigo tres tigres comían trigo, prueba suficiente para demostrar que estaba borracho, sobre todo al notar de reojo al mozo junto a mi mesa, pero que, a los efectos acústicos, resultaba del todo satisfactoria. Tráigame otra ginebra y la cuenta, por favor, le dije al mozo, con una dicción tan casual y perfecta que el hombre frunció los labios con una especie de admiración. Ahora me pide un autógrafo, pensé. Para dejarle a él también un recuerdo imborrable (¿a él también?, ¿qué significaba realmente eso?) lo esperé de pie, bebí de pie mientras le pagaba, no le dejé un centavo de propina porque hay armonías tan frágiles que pueden ser aniquiladas por un gesto impropio (sin contar que seguía teniendo la sospecha de que en algún momento iba a necesitar todo mi dinero, y hasta dinero ajeno), sonreí con discreción, salí del bar y crucé la calle. Muy bien, yo no iba a tener dificultades para ocultarle que había bebido, o, en términos algo más generales y precisos, que bebía. Pero sí iba a tener dificultades para no acostarme con ella. No había más que mirarla mirarme, o acaso eran los efectos secundarios de la ginebra, pero Cecilia era un *maëlstrom* con el epicentro una cuarta debajo del ombligo. El caso es, cómo se comportaba esta mujer en la cama. Recordar esto con precisión era de la mayor importancia. ¿Gritaba, mordía, se reía?

¿Había que fingir que se la estaba violando o se dejaba estar, sagrada y silente, esperándolo a uno como la madre tierra espera la lluvia? ¿Se abalanzaba quizá sobre uno? ¿Se hacía la dormida? Suponiendo que yo lo hubiese sabido alguna vez, ya no lo recordaba. Y el problema serio es que no tenía ganas de investigar sobre la marcha, ni con ella ni con ninguna otra mujer en el mundo. Yo era un anciano que el día en que consiguiera ser abandonado por Mara entraría por fin en una trapa, para cultivar mi propia huerta, cavar mi propia tumba y dedicarme hasta la muerte a la contemplación y la cría de abejas.

Y de pronto recordé con pavor su mirada blanca de pitonisa, su cuerpo de virgen sacrificada sobre una piedra lustral, la curva trágica de su boca, el repentino odio de sus ojos unos segundos antes de volver a cerrarlos y perderse, algo que la comprometía y lo comprometía a uno enteramente, donde se cruzaban el frenesí, el terror y el éxtasis de la muerte.

Ahora, en la cárdena oscuridad del living vacío, escucho la voz un poco ronca y arrastrada de Cecilia. La voz y el tenue resplandor vienen del dormitorio, y decir que escucho es, de algún modo, un doble acto de piedad. El sonido de su voz me rodea y se me pega al cuerpo como el vaho de una valva. "No se puede, Esteban, no se puede sola", oigo. "Hueco", oigo. "Vacío", y sé que las palabras tienen sentido, sé que Cecilia me habla o quizá me ha estado hablando desde mucho antes que yo entrara, pero también sé que si no encuentro en la oscuridad cierta botella, esas palabras no se van a organizar nunca en mi cabeza. —Una mujer no puede vivir sola, Esteban, nunca supe vivir sola. Con cualquiera, en la cama de cualquiera, pero no sola. Vos no podés ni imaginar lo que es esto. —Yo encontré la botella y me llevé el pico a los labios, el whisky salió de allí en ridículas dosis homeopáticas; el miserable hijo de puta que inventó este tipo de gollete merecería la pena de muerte. Fui en la oscuridad hasta la cocina. —Vos decías, Esteban, que las mujeres como yo teníamos que aceptar la soledad. Las mujeres superiores, qué mierda sos Esteban. Que para las mujeres como yo no hay hombres. Y es mentira. Sobran. Cualquier hombre es bueno para cualquier mujer. ¡Qué es eso! —gritó de pronto—. Qué pasa.

Yo, en la cocina, había roto el cuello de la botella contra la pileta.

—Nada —dije—. Creo que se me rompió algo. Ya voy.

Encendí la luz y vi un colador de té. Colé un vaso entero de whisky y me lo tomé de un trago.

—Qué estás haciendo —oí.

—Ya voy —dije, absolutamente calmado.

Me quité el saco y lo dejé sobre una silla. Cuando entré en el dormitorio de Cecilia, ya tenía desprendido el cinturón. Y el primer botón de la bragueta, el de arriba, el interior. El más incómodo; las mujeres nunca saben dónde está.

—La rompiste a propósito —dijo Cecilia, y yo sentí algo que sólo puedo describir como una mano de hielo en los riñones. Después dijo "gracias" y dijo "bobo". Casi me río. Volví a ajustarme el cinturón. —En el fondo —dijo—, sos transparente. ¿Sabés para qué te llamé? Para ensuciarme a mí. No es que no quisiera acostarme con vos. Pero te habrías vuelto inmundo.

—Nunca fuiste muy lógica hablando. De todas maneras —dije—, no soy tan transparente. La botella se rompió sola.

Cecilia se reía.

—Te da vergüenza, te da una vergüenza terrible. Mirá qué risa si por culpa tuya me transformo en una buena mujer. Mirá qué risa si esta noche me hubieras salvado de algo. Andate, ahora. Yo te quería mucho, y ahora quiero dormir. A lo mejor se rompió sola, sí, pero no pienso dejar que lo pienses. Y son mentiras que estás más viejo. Además, cuando seas viejo, vas a ser un viejito hermoso.

Y se durmió. Lo supe, en esa oscuridad, por el dibujo que hacía su sombra sobre la cama. De perfil, sin necesidad de doblar el cuerpo, una de sus rodillas casi le tocaba la cara. Yo conocía eso.

Me puse el saco y me fui. En el bar de la esquina comencé a marcar números de teléfono. En alguna parte había leído que Pavese, antes de matarse, llamó a siete mujeres. Yo no pensaba matarme, pero tenía el presentimiento de que, si alguna no contestaba, aquella noche no iba a ser mi mejor noche.

Del libro de cuerina azul

Para Sluchevsky la dipsomanía no pertenece, en rigor, al alcoholismo. Este científico opina que el bebedor crónico periódico es un ciclotímico, o, en los casos extremos, un psicótico del tipo maníaco-depresivo. Los accesos de borrachera aparecen después de períodos lúcidos de la misma duración que los de la psicosis maníaco-depresiva y la ciclotimia. Si esto es cierto, la frase del poeta norteamericano Edgar Poe, cobraría el valor de un autodiagnóstico científico: "En aquellos accesos de absoluta inconsciencia yo bebía, sólo Dios sabe con qué intensidad y en qué medida. Mis enemigos atribuyen la locura a la bebida, más bien que la bebida a la locura". No obstante...

A.C. STURM, *Alcoholismo y locura, Cap. VII, pág. 128.*

"Ellos" o el Panteón

En off, la voz de Dylan Thomas, su voz real. De modo impresionante dice los versos de *Do Not Go Gentle Into that Good Night* (No entres con gentileza en esa noche amable). Lentamente, el cuarto se ilumina sobre la silueta inmóvil de una muchacha (Liz) sentada junto a la cama. (O mejor, de pie junto a un sillón: una cama es escénicamente antiestética.) Madrugada, alrededor de la una y media. Los dos han pasado toda la tarde y la noche en este cuarto, después de la gigantesca borrachera en casa de H., donde él vio o creyó ver la rata. (Verificar si, en la realidad, él gritó *A rat!* o más modestamente *A mouse!).* La voz deja de oírse. El cuarto ya está iluminado, cárdena y tenuemente: de la calle llega, con maniática intermitencia, el resplandor de un cartel luminoso. El sillón (de mimbre, tipo chino) está de espaldas. En esta posición comienza a hablar. DYLAN *(violentamente, oculto por el respaldo del sillón):* "Qué criatura roñosa y sin dignidad soy... ¡No entres con gentileza...! *(Se levanta; tambalea. Se aferra al brazo del sillón: esto le permite situarlo con naturalidad frente a Esteban. Por el momento habla de pie. No parece borracho en absoluto.)* "¿Sabes? ¿Sabes, Liz, cómo voy a entrar yo en la amable noche de la muerte? Pateado por el demonio... ¡Titular a toda página! *(hace un gesto en el aire, como si materializara un gran título periodístico)*: POETA GALÉS DE PELO CRESPO SE ARROJA DE CABEZA A LA BASURA PATEADO POR LA CULPA". //Ella le dice que trate de calmarse o de dormir, etcétera; acá puede informarse quizá que ya es de madrugada. Escena violenta. Las cosas imposibles; ciertos saltos o escalamientos.// Y, de paso, alguien puede decir también que Sirio está ocho o nueve años luz, *y no nueve millones,* más cerca que la Luna: respingo en la platea, ¿no? Crece la violencia, y LIZ, desolada, impotente y algo harta, decide irse. Entonces él dice aquello de: "Así no me ayudarás en mi agonía". LIZ pese a todo abandona el cuarto. DYLAN *(gritando, a la puerta cerrada):* "¡Yo tuve una amiga!... ¡Eh, hijos de puta!, ¿saben?... ¡Yo *tuve* una amiga que vivía por aquí!..." *(Se sienta. Esconde la cara entre las manos.)*

LIZ *(volviendo a entrar).* —Todavía la tienes. Cálmate.

DYLAN. —Estoy llorando, te das cuenta. *(Toma la mano de ella y la lleva hasta su propia cara.)* Todos nosotros tenemos razones para llorar. *(No sin malevolencia.)* Caitlin también.

LIZ. —No es necesario que me hables de Caitlin.
DYLAN. —¿No lo es? Cómo puedes saber que no lo es. Te acuestas conmigo, ¿no? Me amas. Bueno, no me parece mal que mi mujer conozca a mi mujer. *(De pie, gritando.)* ¡Caitlin! Radiante yegua galesa pelirroja, ¡despiértate, dondequiera que estés...! Te presento a mi último amor, a mi muchacha americana, ¿no es hermosa?... ¿No son hermosas, Dios mío?... Liz, todo el mundo es tan hermoso... *(De pronto. Escuchando.)* Liz, lo sé. *(Se ríe.)* Te juro que se despertó, allá en Gales. La conozco. Shh. Está sentada en la cama con los ojos abiertos. Piensa en mí. ¿Sabes lo que piensa?: Dónde estará, con quién estará ese condenado borracho fracasado bastardo hijo de puta... Escúchame, ven. *(Se sienta. La tiene de las manos.)* Yo quiero morirme; escucha. Debo visitar un lugar, un jardín... ¿Has visto un pinzón alguna vez? Yo tampoco, pero allí hay pinzones, toda clase de pájaros y flores. Oropéndolas, catleyas, tamarindos, suimangas, tanágridos; pájaros que tienen nombres de flores y flores que resuenan como pájaros... Siempre amé las palabras, su sonido, antes de saber qué significaban... Me está matando la belleza que veo en todas las cosas, Liz. Por eso debo hablarte de Caitlin, no me interrumpas, por favor. Debo decírtelo, perdóname. Ella... no puedes imaginarte lo hermosa que es: está como iluminada, la rodea una luz... *(Se queda en silencio y mira como hechizado a* LIZ, *quien, nimbada por la luz de calle, parece de oro.)* Perdóname, nunca fui gentil. *(Bruscamente se pone de pie. Va hacia la puerta.)* Y no pienso entrar gentilmente en ninguna parte. Y mucho menos en mi jardín.
LIZ. —Dónde vas. No estás en condiciones de salir. (Acá, referencias exactas. Consultar diario de J. M. Brinnim.)
DYLAN. —Es absolutamente necesario: acabo de descubrir algo. Tardo un minuto. No te vayas. *(Sale.)*
LIZ sola. Se sienta en el sillón. Da la impresión de rezar. Larga transición. La luz baja lentamente hasta la oscuridad total y, también lentamente, se enciende otra vez. Él vuelve a entrar. Dice y hace las mismas palabras y las mismas cosas que hizo y dijo en la realidad.

DYLAN. —Todo está bien. *(Ella no se ha sentado en el sillón, sino sobre la alfombra. Él camina hasta el centro del cuarto. Habla con lacónica naturalidad.)* Acabo de beberme dieciocho whiskys puros. Creo que es un record. *(Cae de rodillas al suelo. Apoya la cabeza en su regazo; habla sin mirarla.)* Te amo. Pero estoy solo.

Único espectador, en la platea, Esteban, aplaude conmovido. *Apagón.*

4

El hombre de los ojos de plata

El palimpsesto

"Tengo orden de no servirlo, señor", oyó Espósito, y la estilográfica con la que estaba terminando de apuntar en su libreta la enigmática frase *Baal-Zebuth, las moscas y la Luna* quedó suspendida en el aire. Apartó la vista de la pequeña hoja cuadriculada y, sin mirar al responsable de la voz, recapacitó acerca de su situación. Lo inesperado produce dos efectos. O por lo menos dos. Lo inesperado es el fundamento de lo cómico; ahí está uno de los efectos. El otro efecto es el miedo. Si los pensamientos se formulan, es decir, si hacen falta palabras para articular determinadas operaciones de la conciencia a las que llamamos pensamiento, lo que Espósito pensó puede expresarse así: Yo siento que esto carece de gracia; yo tengo miedo. Había, por lo tanto, que concentrar toda su voluntad en el casi invisible pero dorado punto del universo que asomaba en el extremo de su lapicera, y, desde este *omphalos* o Mandala o iod, organizar una vez más las defensas contra el desorden y el caos. O, dicho con un poco más de calma, sintiendo ya un anticipo de serenidad que los años exaltarán a beatitud de cenobita comedor de langostas, había que tomarse su tiempo. Para empezar, estaba sobrio. Un hecho más bien extraordinario, de acuerdo. Pero un hecho. Además, estaba correctamente vestido. Y hasta demasiado vestido, hablando en un sentido ornamental. Botines negros, dos medias del mismo par, detalle que tratándose de nuestro futuro anacoreta tiene su peso en esta descripción ascendente, su mejor pantalón azul planchado por sus propias manos de hombre regenerado que ha decidido hacer lo recto en ojos de Jehová, lejos de Mara y del resto de la tribu, lejos para siempre de toda hembra humana que no fueran su tía y su gemela astral, únicas mujeres que treparon a su corazón sin hacer escala en su bragueta, bragueta, dicho sea al pasar, que llevaba prendida, según constató, camisa y saco cegadoramente blancos. Vestido, en suma, como cuando era joven. Dispuesto a dar una conferencia sobre cabalistas, herejes y poetas magos, en la Escuela de Altos Estudios Abraham León, de Villa Crespo. Llevaba también una antigua y hermosa corbata ritual, su amuleto, cuyo único adorno algo llamativo y quizá extemporáneo era un rojo caballito de mar, símbolo del amor eterno (¿o de la fidelidad?, ¿o de la felicidad?, ¿o las tres cosas son la misma o dan lo mismo, por aquello de la Luna, nueve años luz más cercana que Sirio pero igual de inalcanzable?), corbata regalada a Espósito en otra historia por la niña de las terracotas y las figulinas, que no se llamaba Virginia, como él había escrito, sino Beatriz, y que no había muerto de amor o de locura, ni siquiera de tisis, sino que le había sido arrebatada por el demonio y reemplazada por Mara, para decirlo con bastanta mala fe, reemplazo o locura o asesinato que fue en realidad una liberación para él, un infierno para Mara y vaya a saber qué cosa para ella, ya que se casó y creció y parió con dolor sin perder en absoluto la razón, la vida ni la silueta, ni, porque así son de invulnerables estos monstruos, lo que él más amaba de ella y ella ya no podía darle mucho antes de irse, la alegría. Y lo que yo debí hacer es pegarme un tiro. O sea que mi aspecto exterior es irreprochable, pensó Espósito.

—Perdón —dijo finalmente. Desvió los ojos de la punta de su lapicera y miró al dueño de la voz. —Va a tener que repetirme lo que me dijo.

—Que no puedo atenderlo —dijo el mozo—. Que tengo orden de no servirlo.

Espósito asintió con la cabeza y volvió a concentrarse en la hoja de papel. Anotó: *Sustitución de la mujer maga; el patriarcado y los dioses locos.* Y tuvo un temblor tan brusco que casi se le escapó la lapicera de la mano. Levantó la mirada y dijo inexpresivamente:

—Le pedí un café y dos aspirinas.

El mozo ya no estaba solo. Junto a él había otros dos hombres. El tamaño de esa gente no presagiaba un cambio de ideas afable, eran más bien del tipo que lo echa a uno a patadas al medio de la calle. No veo la razón, ya que estoy sobrio. Vio venir a otro hombre; era sinuoso y enclenque, pero, por algún motivo, resultaba el más temible. Hasta hacía un momento había estado tras la caja registradora. Todo era sigiloso y discreto: las cosas ocurrían como en cámara lenta. El enclenque hablaba en voz muy baja y como en un idioma desconocido. En las otras mesas, señores con la conciencia tranquila, chicas de aéreos ademanes y ancianas con prímulas en sus sombreritos parecían beber a destajo cualquier cosa que se les diera la gana. De pronto, detrás de la barra, le pareció ver un gran espejo roto.

—Va a tener que irse —decía en voz baja el sinuoso enclenque de la caja registradora. Era como oír hablar a una araña. —Va a tener que irse. O llamo a la policía.

—Entonces me voy —sonrió Espósito—. No me toque —dijo de inmediato; una mano había estado a punto de apoyarse sobre su hombro—. Mejor no me toque. Gracias.

Y se puso de pie, se calzó los anteojos para el sol, y ahora está sentado en la oscuridad de El Barrilito. Entre el acto de ponerse de pie en aquella confitería y el de volver a sentarse en este bodegón hay un hueco. Como la sucesión de dos hechos casi instantáneos. El tiempo se comportaba a veces de una manera extraña. Tenía otra vez la estilográfica en la mano, la libreta abierta y, junto a una pata de la mesa, su portafolio negro. Era como si nunca hubiera estado en aquella confitería. Sin embargo fue real, pensó ante una página en la que había surgido de la nada el dibujo de un hombre con cabeza de pájaro, Anubis por lo visto, aunque le hubiese gustado que alguien le dijera desde cuándo sabía dibujar tan bien a Anubis. (¿O se trataba de Horus?) Y sobre todo, pensó, hay también otro momento de estos últimos meses —y por qué no semanas o días, ya que ellos no habían tenido ninguna dificultad en reconocerlo—, anoche mismo quizá, en el que *sin duda* había estado allí. ¿Estado?, ¿sólo estado?, le susurró a la oreja su *daimon* presocrático y trazó en algún sombrío lugar situado aproximadamente al costado y hacia abajo de su ojo izquierdo un fúlgido zigzag que podía ser un vaso o una botella volando por el aire o el relámpago de un gran espejo roto. No sólo estado, le reconvino su otro huésped, su ángel, o lo que todavía quedaba de él, ya que los ángeles buenos, como la conciencia, como la sinceridad, como el amor, son solubles al alcohol: No sólo estado, hic, quiero decir hic-jo mío, disimuló el ángel, sino estado y armado un considerable quilombo si se me permite una figura laica, canta conmigo oh Señor hemos estado sí, y hemos estado beodos. Por otra parte, es la primera vez que se niegan a servirme. O para llamar a las cosas por su nombre, que me echan. Porque lo otro, lo anterior, lo que fuera que olvidó y por lo visto fue algo bastante recordable, no tenía por qué ser la primera vez. Y en rigor, no lo era. Una moviola, en su cabeza, proyectó hacia la penumbra del bodegón indecorosas imágenes hipnagógicas de bares, cafés, restoranes, kermesses, hoteles alojamiento, vagones-comedor y otros lugares públicos. Y aun privados. Miró a su alrededor y llamó al dueño del bodegón, único ser viviente del lugar, excepción hecha de unos verdes y lentos moscones de verano. Me habrán echado de esa confitería, de acuerdo. Pero era notable la aceptación que aún tenía en ciertas casas de familia. Pese a algún que otro escándalo o rotura de algo. ¡Incluidos culos!, se oyó decir, y por este inesperado camino recobró en el acto el buen humor. Qué puede hacer un hombre cuando todo el mundo se empeña en llenarle una y otra vez el vaso y en presentarle a la esposa con inquietudes. O aun a la hija inquieta. Todas quieren ser actrices o novelistas o cantar bossa nova. O hacen cerámica. O hasta pintan. Oyeron por ahí que el arte es dolor, y me llaman a mí por teléfono. Y yo tengo el cerebro reducido a cenizas. ¿Y si fuera cierto?, susurró el demonio mientras el ángel de Espósito, con el hígado hecho pulpa y las meninges a punto de estallar, dormía despatarrado bajo la mesa una borrachera que ya llevaba casi diez años, ¿y si lo único verdaderamente cierto de esta opereta bufa, obscena y cantada en tono menor, fuera la parte de las cenizas? ¿Si ya soy los escombros de mí mismo? Y de pronto Espósito recordó el folleto. Un cuestionario. Se lo había dado una señorita que no quería ser ni actriz ni novelista ni cantante de bossa nova. Él iba por su decimoquinto whisky y Mara le estaba diciendo por favor, o vamos, o mañana tengo que levantarme temprano. Entonces, en la ventana del bar, apareció la señorita. "Tome", le dijo a Mara: "déselo cuando pueda leerlo; no lo pierda". Y era difícil saber qué o a quién no debía perder. "Y usted quién es", preguntó Espósito, y de inmediato se arrepintió del tono: la señorita, en la ventana, estaba hecha de una trama tan delicada que no parecía de este mundo. Era una señorita mayor, un hada en ruinas. Pero para nombrarla no hay más palabra que señorita. "No soy nadie. Soy alcohólica", dijo ella y Espósito se atragantó de la sorpresa. "Hace treinta años que no tomo, pero soy alcohólica. Y monja laica. Cuando era tan linda y tan joven como ella'', y señaló a Mara, ''fui prostituta para poder pagar eso que lo está haciendo toser''. Y sonrió. ''Por menos de lo que le queda en esa botella me entregué a tres hombres la misma noche. No lo tome, hoy no. Dios los bendiga.'' Y desapareció. Y ahora, en el bodegón, mientras Espósito apuntaba en su libreta *La mujer como intermediaria y los ritos iniciáticos*, se asombró de los mecanismos de la realidad, tuvo la certeza de que hay un Orden secreto y se preguntó qué decía aquel cuestionario. *¿Bebe a solas? ¿Ha perdido...?* Veinte preguntas. Sobre todo le había gustado el final, parecía inventado por un escritor astuto, por un alcohólico que fuera al mismo tiempo Poe, para decir un disparate del peor modo posible. Más o menos decía: Si usted ha contestado afirmativamente a una de estas preguntas, quizá sea alcohólico. Si ha contestado afirmativamente a dos, tiene bastantes chances de terminar en el Borda. Si acertó tres, bueno, mi viejo, cante adiós muchachos o venga con nosotros, porque usted está completamente reventado. Qué jodidos, realmente.

—Doble, por favor —dijo Espósito todavía sonriendo, cuando vio a su lado la silueta del patrón—. Y dos aspirinas, por favor.

El hombre esperaba. Espósito lo miró.

—Doble qué —preguntó el hombre.

Café, iba a decir Espósito. Pero no lo dijo. Y no porque se quedara callado; habló casi de inmediato.

—Whisky —dijo—, un whisky doble de la marca que guste, y suspenda las aspirinas.— Porque no cualquier omisión es una omisión cualquiera. Y si uno ha decidido tomar café, si uno tiene ganas y hasta necesidad de tomarlo, pero no lo pide, alguna razón habrá. Freud ha escrito mucho sobre eso. —Sin hielo, por favor —agregó. Y esa razón secreta y profunda ha de ser tanto más imperiosa si existen muchas sólidas razones para pedir aspirinas y café. Por ejemplo, le dolía la cabeza y estaba soñoliento. Además, no tenía el menor deseo de beber whisky sin hielo a las cuatro de la tarde de un pegajoso, húmedo y cada vez más infernal día de verano. Y, por si fuera poco, nunca tomaba antes de una conferencia. O no tan escaso tiempo antes. Le quedaban tres horas, lapso más que suficiente para asimilar un whisky, es cierto, pero un poco fugaz mirado desde otra óptica. Porque, cuándo en su vida había tomado un solo whisky. ¿O ahora mismo no acababa de pedir dos? También es cierto que podía pasar meses enteros tan abstemio como una monja embalsamada, pero no más de diez segundos entre un vaso y otro, si probaba el primero, por hablar sólo de vasos y no de botellas: lo cual parece muy impresionante, y lo es, y hasta tiene su nombre en el llamado terreno neuropático, lástima que ciertas verdades de Espósito son mentiras. ¿Mentiras? Sí, querube. Y ésta, una de las más pérfidas, porque es algo así como una verdad puesta al revés. Ya que a lo mejor yo era capaz, todavía (ay, todavía, y sobre todo: a lo mejor) de esperar diez segundos, o de no tocar el primer vaso, o hasta de proponerme dar una conferencia borracho, y darla, o de emborracharme tanto como para no sentir la menor necesidad de hablar sobre ninguna cosa, pero eso de haber pasado sobrio meses enteros, por favor. Que recordemos, ni un mes entero. No en los últimos tres o cuatro años. Y si hay un porvenir que nos depara una semana completa, será, como en el caso de la abadesa, por razones de embalsamamiento o de putrefacción natural, por muerte, no por temperancia. Lo formidable es que yo odio con todo mi corazón el alcohol. Y esto, que parecía increíble, sí era cierto. Ni en tres, ni en cinco, ni en diez años pude superar el asco que me causa el primer vaso. Y el paladar sabe, ¿quién decía esto? el paladar sabe lo que le conviene al cuerpo. El problema es que cierta clase de tipos tiene conectada la faringe con la cabeza. Y el cerebro parece aborrecer todo lo que le conviene al cuerpo, por no especular ahora sobre el alma. Todo esto sin contar que ahora, sobre todo ahora, necesito dar esa conferencia. Porque me pagan. Porque justamente del hecho de que me paguen, dependen, ahora, futuras y numerosas botellas medicinales que aunque repugnantes (al principio) serán absolutamente necesarias, terapéuticamente hablando, en dos o tres días más a lo sumo, en cuanto me ponga a reflexionar en la susurrada expresión "o llamo a la policía", y justamente esas imprescindibles botellas del porvenir son incompatibles con este primer vaso, que no tengo en absoluto ganas de tomar, pero que ya está tardando demasiado. Entonces vio venir al patrón con una botella en una mano y un vaso en la otra, y apareció, en la penumbra del bodegón, el hombre del paletó. Hombre que, en adelante, se llamará el hombre de los ojos de plata, y a quien Espósito no prestó mucha atención, pues acababa de decidir que iba a tomar ese primer vaso. ¿Por qué? Porque él quería tomar café y no lo pidió. Y cualquier omisión no es una omisión cualquiera. O de otro modo, que el alcohólico soy yo, no mi inconsciente. O sea que ya me lo tomé, supo al sentir simultáneamente un ardor en la garganta, un principio de náusea y algo que podría describirse como la súbita iluminación de una calle dentro de su cabeza. —Sírvame otro —dijo. Ya que admitir un inconsciente borracho es admitir la enfermedad y su fantasma. Si uno toma agua cristalina de un arroyo de las sierras, pero quiere, sin saberlo, tomar fluyente grappa, es un lamentable neurótico. Quizás un psicótico. Y si tomó dos whiskys dobles cuando no tenía ningún deseo de hacerlo, ¿qué es? Un fatalista, canturreó en sueños alguien debajo de la mesa. Y si puedo contestar que sí a por lo menos diez de las preguntas del folleto... Por el momento le bastaba contestar sí a una. No puedo recordar qué pasó en esa confitería. Quizá debía agregar otra. Ya que mi prestigio ha decaído notablemente ante mis propios ojos. Fui expulsado de ese lugar. Y no una, sino dos veces. La primera vez, por supuesto, la que no recordaba; la segunda, difícil que la olvidara nunca. Si Mara estuviera en Buenos Aires, Espósito la habría llamado por teléfono, ahora mismo, para averiguar cuándo (en realidad pensó cuándo carajo) estuvieron en esa confitería (en realidad pensó en esa confitería de mierda), porque lo que sí sabía, aunque no supiera cómo lo sabía, es que Mara fue testigo de aquello, y sólo Mara podía, y, sobre todo, sólo Mara era fríamente capaz de decirle con vengativa minuciosidad qué tipo de espectáculo dio él, qué hizo para que su cara hubiese quedado grabada con tanta claridad en aquella gente. Y quién lo socorrió. Y cómo no fue preso. Y en este preciso instante Espósito decidió con toda tranquilidad no volver a pensar en el asunto. —Vea —le dijo al patrón—. Déjeme la botella entera. Voy a dar ahí enfrente una conferencia que no van a olvidar en su vida.— Tachó en su libreta: *Los mitos solares y lo demoníaco masculino.* Anotó: *Estado, propiedad privada, sacerdocio: el capitalismo como razón satánica.* Y vio que el patrón seguía junto a su mesa; anotó: *El arte demoníaco en oposición al satanismo del orden burgués.*— No se preocupe —dijo—, después me cobra lo que haya tomado. Que probablemente sea todo. O pasa algo. O hay algo que le parece mal. ¿Le parece que me desprestigio? ¿Que pierdo mi trabajo? ¿Que hago sufrir a los míos, a los suyos, a alguien?

—Ningún problema —dijo el patrón—. Por mí haga lo que quiera.

—Así se habla —dijo con sonora indiferencia, a espaldas de Espósito, la voz neutra y sin emociones del hombre de los ojos de plata.

Epifanía del Mago Solar. Espósito le puso el capuchón a la lapicera, la colocó entre las hojas de su libreta a modo de señalador y guardó todo en el bolsillo.

Ahora, ya acostumbrado a la penumbra, podía verlo

bien. Era un caballero de aspecto calamitoso, llevaba puesto un largo paletó y, aunque no se veía frente a él el menor rastro de vaso o botella, parecía estar ebrio desde el siglo anterior. Sospecha reforzada por la índole de su vestidura, una especie de capote tipo roquelaure que no armonizaba del todo con la temperatura actual del hemisferio, y mucho menos con el bodegón, pero sí con la nobleza aquilina de su rostro y de sus largos cabellos pálidos, y de ahí, quizá, que no resultara un calamitoso borracho de cara aguileña y pelo canoso sino un ebrio caballero calamitoso. Con rostro y con cabellos. Lo que son las palabras.

—Lo invito —dijo de pronto e inconteniblemente Espósito—. No se moleste, ahí vamos.— Y en el mismo movimiento recogió su portafolio, se puso de pie y, con la mano libre, alzó su vaso y su botella, asombrosa precisión de gestos que no se consigue sin otros vértigos o caídas y cuyo secreto exigiría entrar en demasiados detalles acerca del proceso de excitación e inhibición del primer y segundo sistema de señales a cierta altura de los acontecimientos.— Patrón. Tráigame otro vaso para mi amigo. Y mejor cóbreme la botella ya mismo, se lo ruego. Pueden ocurrir hechos imprevistos esta tarde. Puede resultarme imposible pagar. U ofensivo. Puedo olvidarme. Vivo de sorpresa en sorpresa.— Y cuando el patrón volvió con el vaso, Espósito seguía hablando.

—Treinta, no cuarenta —dijo el patrón.

Espósito se quedó paralizado y mudo con sus cuatro billetes en la mano y un sudor glacial corriéndole por todo el cuerpo.

—Qué dijo.

—Treinta y no cuarenta.

—Esas cosas, justamente —dijo Espósito—. Lo que sobra es para usted. Por tanta ida y venida.

—Son las cinco —le dijo el patrón al hombre de los ojos de plata.

Se fue.

—No sé si le importa —dijo Espósito—. Pero, aunque usted no lo crea, yo soy escritor.

—Cómo no voy a creerle. Y para qué toma, para inspirarse. —La voz del hombre era plana, absolutamente neutral: acercó la botella de Espósito se sirvió medio vaso.— Ya son las cinco. Entonces, salud.

—Gracias —dijo Espósito.

—Y ahora está escribiendo un libro.

—Ahora. No, no exactamente. O quién sabe.

—Usted es escritor —dijo de pronto el hombre.

—Bueno, yo se lo dije. Pero cómo lo descubrió —porque en realidad, y entonces ya estoy borracho y no llegué al tercer vaso, en realidad el hombre acababa de descubrirlo por sí mismo.

—Fácil. Porque usted dijo "no exactamente", y eso es muy... —Se interrumpió, buscaba la palabra justa. Va a decir "retórico", pensó Espósito: sería extraordinario.— Muy construido —dijo—. Y además reparó en que yo había dicho *ahora* y agregó quién sabe. Otro me habría contestado que no, usted, al final, ya ni hablaba conmigo.

Lo que no sólo resultaba extraordinario sino impresionante. Este hombre se estaba comunicando con él en una zona que no es la de la gente normal, en un código secreto. Sólo para iniciados. Si algún día consiguiera explicarle a Mara, o a alguien, en qué regiones del conocimiento suceden ciertos encuentros, tal vez... —Le voy a ser muy franco y usted va a perdonarme —se oyó decir repentinamente Espósito, también oyó que su voz era inamistosa y tan fría como una barrera de hielo—, es la primera vez que invito a un desconocido— información inútil e insultante, pero Espósito no tenía mucha conciencia de estar hablando, sino de necesitarlo—. Supongo que es la primera vez. Hoy me han pasado y me están pasando unas cuantas cosas.

—Por primera vez.

—No todas.

—En cambio —dijo el hombre de los ojos de plata—, yo hablo todo el tiempo con desconocidos. Después de las cinco de la tarde, que es la hora de mi primer vaso, desde que tenía unos quince años menos que usted. Calculo que le debo de llevar veinte. Y en todo este tiempo aprendí una sola cosa: a conocer el carácter de los hombres. Y usted es un hombre violento. No sabe por qué, pero quiere a toda costa enojarse conmigo. Y no va a poder. Yo soy incapaz de pasiones. Hace rato le intriga mi abrigo. Vea, también voy a hacer algo que no he hecho nunca. Pero, quítese esos anteojos negros, por favor. Vea —y se desprendió los botones del paletó con unos largos y finos dedos de artista: debajo no tenía nada más que una ruinosa camiseta de verano, limpísima y llena de agujeros—. El pantalón es de pijama. No llevo medias, no creo que soportaría el contacto. La famosa polineuritis. Naturalmente debo calzarme, uso pantuflas tres números más grandes que mis pies.

—En realidad no es un paletó —dijo Espósito sin saber muy bien por qué, y, también sin saber por qué, totalmente calmado—. Creo que se llama roquelaure.

—Sí, exacto. Roquelaure. Y no roquelaire. Sabe por qué. Por el duque de Roquelaure, general de Napoleón. Famoso por su coraje y por su fealdad. También por su ropa. Pero usted, por qué está tan bien vestido, y en este lugar. Usted todavía está sobrio. Qué le pasa. Le aseguro que no me importa. Pero algo le pasa. Le rechazaron un libro —y la naturalidad con que en esa mesa se tomaba su profesión, estuvo a punto de hacer el milagro de que Espósito se convirtiera en una especie de escritor, lástima que esas cosas no duren—. Lo echaron de alguna parte.

Espósito bebió largamente su whisky.

—Sí. Eso, y un olvido. Y sobre todo, *esto* me pasa. Estar hablando con usted. Es la primera vez que... —Lo que no se volvería más cierto por el mero hecho de repetirlo. ¿Era la primera vez? El hombre lo miraba con divertidos ojos de plata. Le sirvió a Espósito y volvió a servirse. Ojos tan claros y traslúcidos que realmente parecían de plata.— Pero mejor hable usted —dijo Espósito. No era la primera vez ni mucho menos. Era distinto, en eso residía el malestar. Pero no era ni remotamente la primera vez. Estaba aquel encuentro en el bar Nilo con el tipo del tranvía fantasma. Y vaya a saber cuántos otros. Cielo santo, estaba la historia con el matarife: bestia del ancho de una cómoda, el matarife que había boxeado con un oso, hijo de puta, y también hubo un petizo, no carnicero ni verdugo sino un ilustrado mequetrefe fascista y malnacido, quien vociferó una noche entera sobre la superioridad o inferioridad de algo (¿los judíos? ¿la antigüedad clásica?) amparado en el hecho de que, gritón, abstemio y casi enano, Espósito, ex púgil y casi sacerdote, no podía pegarle una trompada. ¿Fue así? ¡Y la violetera! Una vieja violetera que juraba haber reemplazado una noche a la Galli Curcci, y él se fue con ella hasta la Matanza. Y era verdad. Sin embargo, esos encuentros le habían caído del cielo, o habían subido hasta él desde algún sótano de la realidad. O los había provocado, a veces, pero en todas esas historias, por disparatadas, vergonzosas o demenciales que fueran, Espósito no estaba solo. Estaba Mara. (O la pequeña Prascovia, su gemela astral, de la que algún día hablaremos, como también hablaremos de la Sirenita.) Y eso era todo: Mara se había ido y él estaba solo. Bebió y lo supo, y como no le gustaba saberlo, dejó que el whisky fuese filtrando lentamente hacia las zonas más festivas de su corazón y pensó qué farsante, era la vigésima vez que Mara lo abandonaba para siempre, le resultaba más fácil dejar de emborracharse que estar solo, era escandalosa la parva de mujeres-niñas, madres-niñas, amantes-niñas dedicadas todo el tiempo a salvarlo de las acechanzas del mundo y últimamente también de Mara y de la bebida. ¿Seré lindo? O las mujeres son apenas las sombras de la soledad, los pañalitos y el talco del huérfano básico sobre el que la bebida y el miedo van construyendo como un Golem a este desamparado para todo uso, porque también era notable la cantidad de niñas-adúlteras, párvulas-cuadragenarias, lactantes-putísimas y malcogidas de toda índole que en los últimos años le habían diezmado los riñones, el alma y otras partes delicadas. ¿Seré lindo realmente? ¿O interesante? O a lo mejor es cierto que las mujeres creen que el espíritu es transmisible por vía oral, anal, orejal y otras vías, aun las normales. O a ver si resulta nomás que soy maricón. En alguna parte leí que los alcohólicos somos homosexuales latentes. También leí que en la Argentina hay un millón y medio de alcohólicos, qué colección. Cuánta soledad y cuánto miedo, madre querida. —Pero si se lo mira bien —decía Espósito, ahora con el saco blanco colgado de la silla y los puños arremangados—, si se lo mira bien, lo que se dice bien —agregó, aflojándose un poco más la corbata y metiéndosela entre el pecho y la camisa, como si protegiera de algo a su hipocampo—, yo creo que todo, siempre, está ocurriendo por primera vez.

—Siga hablando —dijo el hombre de los ojos de plata—. Hable y diga todo lo que quiera. Y cuando esté por enojarse conmigo, acuérdese de que usted vino a mi mesa.— Se reía.— Ya está enojado.

—Sí —dijo Espósito—. No. Usted tiene algo sedante. Como un cura. ¡Usted pudo ser sacerdote! Ahí está la cosa.

—Es cierto —dijo el hombre de los ojos de plata—. También eso.

Espósito lo miró con desconfianza.

—Que yo siga hablando. ¿Cómo que *yo* siga hablando?

—Bueno, Mara y la pequeña Prascovia, el asunto del

oso, su mamá que lo abandonó a los ocho años, la teoría del sexo, la Sirenita.

—Me está insinuando que yo le hablé de todo eso —dijo Espósito—. Pero si recién ahora, al escucharlo a usted, tengo la vaga idea de... ¿La Sirenita? ¿Qué es eso? Yo no conozco a ninguna Sirenita. ¿Le hablé de Beatriz?

—Por supuesto. Y de un amigo suyo, Santiago, que se mató en Córdoba. Lo del ojo sobre la mesa, muy impresionante. Cuénteme lo del señor que boxeó con el oso. Por qué se enojó tanto usted.

—Déjeme de joder con el oso. Lo del oso es mentira. Quiero decir que ahora es una mentira más real que la verdad. Y ya no tengo nada que ver con eso. Fue en Paso del Rey. Lo que yo quiero saber es otra cosa. Y además no era un oso, era un pichón de orangután. Lo que quiero saber es si yo dije que Beatriz es la Sirenita.

—No, no. Beatriz era Beatriz, a secas. Usted se separó de ella y los ángeles del cielo le retiraron el saludo. A usted. La Sirenita es otra.— El hombre de los ojos de plata acercó su cara a la de Espósito.— ¿Quiere que le diga una cosa? A mí me parece que todavía no la conoce. Usted, cómo decírselo, la espera. O está por encontrarla. Y no me pida más datos, Espósito. Es su historia, no la mía.

—¿Cómo sabe mi apellido?

—Usted me lo dijo. Cuando la botella estaba por acá. También me dijo su edad. "Esteban Espósito, treinta y cinco años", me dijo usted. Hasta nos dimos la mano.

—Puede ser, sí. Hoy todo puede ser.

—Que hoy fue un día malo, quiere decir. Le voy a contar un secreto. El secreto de la vida. ¿Tiene tiempo? Entonces pida otra botella. Fue un día malo y todavía puede ser peor. Escúcheme bien.

Nadie

—Escúcheme bien —dijo el hombre de los ojos de plata—. Hay muchos tipos de gente, pero en los extremos hay dos. Mire que no hablo del idiota y del genio, no hablo del criminal y del santo. Le estoy hablando de la gente en general, y por eso digo extremos, no digo excepciones. Me va a entender enseguida, si no me entendió ya. Usted parece bastante despierto. No se enoje, no niego que pueda ser mucho más que despierto, un criminal, un genio, hasta un loco: una excepción en algunos de los extremos. Pero si le interesa lo que digo va a tener que olvidarse del valor que usted le da a las palabras. Y hasta de la palabra valor. Escuche. Hay gente que no sirve para nada o no sabe hacer nada, esa gente a la que todo le sale mal. Ni siquiera son mediocres, ni son dementes de alguna clase. Lo mediocre es el término medio de la especie humana, es el tipo general, la norma; y la demencia ya le dije que se trata de una excepción en uno de los extremos. En el inferior, digamos. En el otro extremo está la gente que sabe hacer bien muy pocas cosas. O sólo una. Y en todo lo demás son como los que no saben hacer nada. ¿Me sigue? En todo lo demás no son ni siquiera mediocres, son incapaces. Inútiles. Salvo para eso que sí saben hacer, no importa lo que sea. Cuando eso que saben hacer coincide con la posibilidad y con la voluntad de hacerlo, usted diría algo así como que están salvados. Y no me pregunte cómo lo sé, hoy repitió veinte veces la palabra salvación. Acá, si quiere, ponemos a los grandes hombres, a los hombres de talento, a los creadores de cualquier tipo, sobre todo si son capaces de hacer una sola cosa, ni siquiera dos. Únicamente esa cosa. Los fanáticos, los iluminados religiosos, algunos artistas. En cuanto al genio, la excepción, es nada más que la anormalidad superior pero todavía humana de este segundo tipo. Y hay una tercera clase de hombres, si es que se trata de una clase y no de un solo ejemplar. Páseme la botella. Es como si estuvieran dotados para todo. Para casi cualquier cosa. Y fíjese, por favor, que no he dicho dotados para lo que ustedes llaman cosas grandes o extraordinarias. He dicho casi para cualquier cosa. Podrían llegar a ser matemáticos o rematadores. Podrían ser astrónomos, dedicarse a la fabricación de escobas, a la etnografía. Éstos, sin ser idiotas, teniendo en casi todo orden una aptitud potencial superior a la del hombre común o a la del gran hombre, son tan inútiles, en los hechos, como los que no saben hacer nada. Acá tiene uno. ¿Se hizo alguna vez un test vocacional? Espero que no. Yo sí, alrededor de los veintitrés años. Hace más de treinta. Bueno, estaba dotado para todo. Se da cuenta, un sujeto que a los veintitrés años puede ser arquitecto, director de empresa, astrofísico, remachador, sacerdote o trombonista de la filarmónica. Usted cree que miento, espere —y mientras yo le aseguraba que le creía, lo cual misteriosamente era cierto, él se agachó, alzó del suelo un bolso de avión en el que vi al pasar una botella, papeles y algún libro, y sacó de allí un legajo de enormes hojas—. Ahí tiene.

Las páginas, escritas en alemán, tenían todas un formidable membrete impreso en letras góticas. Sólo descifré la palabra Instituto y la fecha. Me llamó la atención una cosa: esas hojas no estaban deterioradas. En realidad la carpeta parecía haber sido abierta muy pocas veces. Por lo tanto, no se trataba de una ceremonia alcohólica; el hombre de los ojos de plata no acostumbraba mostrar esos papeles. Ni siquiera acostumbraba mirarlos.

—Vea el informe de la última página —dijo—. ¿Lee alemán?

—No. Lo siento.

—No lo sienta. Yo soy alemán y le digo que en alemán sólo vale la pena leer *das Niebelungenlied, Zarathustra* y el primer *Faust*. —Y mientras yo casi me caía de la silla dijo con la misma voz, carente de matices afectivos pero ahora sin el menor acento germánico:— Y Kafka, que era judío y checo —se rió sin alegría—. Agreguemos a Thomas Mann.

—Pero usted no tiene... Es muy extraño.

—Exdraño que un áleman —prorrumpió con voz sonora e inesperada—, que un áleman hafle sin tureza, sin estrújulas, ajj sí, muy enormidad de exdraño. Pero cómo voy a tener acento. No le estoy diciendo que soy un hombre en blanco, sin huellas espirituales de ninguna especie, tal vez sin alma. ¿Soy alemán? ¿En realidad lo soy? Miembro del mundo, como decía en alemán un poeta que usted habrá leído, también checo pero no judío. Y no sé hasta qué punto. Hasta qué punto soy miembro del mundo, quiero decir. Vea. Antes de venir a la Argentina viví unos años en México. Me dejé grandes bigotes caídos. Me decían el macho blanco de Tlaxcala... Pero apenas ojeó mi test, ¿quiere que le traduzca la última página? No hace falta. Usted ya comprendió que yo ni siquiera puedo mentir. Un borracho que no puede mentir. Ni ponerse sentimental, ni romper de tanto en tanto alguna cosa. Si yo fuera usted, Espósito, me parecería una monstruosidad. Déme mi carpeta, no quiero que se ensucie. De todos modos, las posibilidades monstruosas de la vida real no pueden ser previstas en un test. O a lo mejor faltó una pregunta, la pregunta para mí. La vida real se descifra mejor con esto —levantó la botella con un gesto casual, la miró fríamente, y yo vi como si sus ojos ardieran un segundo tras el ámbar del líquido mirándome desde otro lugar; se sirvió—. Yo empecé a beber fuerte en la adolescencia, al terminar el gimnasio, lo que acá se llama el secundario. Fue en los años anteriores a la guerra. No sé por qué empecé, pero no fue por horror a una catástrofe que amenazaba diezmar a Europa, mi mundo, el mundo que yo conocí. La guerra en cierta medida atrae. Sólo que a mí me atraía en la misma medida que me repugnaba. Un matemático o un físico dirían que eso es igual a cero o verían fuerzas que se anulan. Se anulaban, en efecto: la guerra me era indiferente. Yo creo que empecé porque sí. O por lo mismo que bebe todo el mundo, porque el alcohol siempre está a mano. En la paz y en la guerra, y sobre todo en la paz, en las bodas de la gente, cuando alguien nace, alrededor de los muertos. En esos años, en Renania y el Palatinado, y en nuestra esfera, todo era un poco irreal. Era el Walhalla. Yo y mi grupo solíamos decir que éramos dioses, yo sin mucho entusiasmo. Un día me di cuenta de que no me importaba el destino sagrado de Alemania: lo atribuí a la brutalidad y estupidez de los dirigentes nazis. También me di cuenta de que no me importaba luchar contra sus ideas: lo atribuí al hecho de que era alemán. Entonces estalló la bomba. Literalmente estalló. Estábamos los dioses bebiendo una noche en una fonda de Manheim, un bodegón parecido a éste, y en la mesa vecina vi a un hombre real. Hablaba contra Hitler, contra Alemania, contra nosotros, hablaba serena y apasionadamente. No sé si porque yo estaba borracho o porque era muy joven, o porque el hombre decía la verdad, pero estuve a punto de levantarme y hacer algo. Darle la mano, o no sé qué. Siempre he estado a punto de hacer algo, lástima no saber si esa vez lo hubiera hecho. De pronto el restorán voló en pedazos. Los nazis habían puesto una bomba. Lo mató a él y a casi todo su grupo. Mató a todos mis amigos. A mí me partió la cabeza como si fuera un huevo. Por eso me interesó la muerte de su amigo Santiago, por la imagen, quiero decir. Diez cirujanos me rearmaron la cabeza, hueso por hueso. En esos días estalló la guerra. Y sobreviví. A todo. A la bomba. A Hitler. A la guerra. A los cirujanos. En 1942, el más eminente sínodo de médicos austríacos dictaminó: puede vivir tres años, cinco a lo sumo. Mi cerebro estaba intacto, pero alguien había detectado por casualidad un lento e irreversible proceso degenerativo. En el páncreas. Entonces hice mi test. Antes dejé el alcohol: lo dejé sin ningún esfuerzo. Yo tenía veinticuatro años. ¿Ya le han dicho que usted no sólo bebe de un modo descomunal, Espósito, sino que nunca aparta la mano de la botella? Pásemela, por favor. Gracias. Yo tenía veinticuatro años y pensaba me quedan tres, con suerte cinco, y no sé qué quiero de la vida. De mi vida. Cuando lo sepa, pensaba yo, voy a hacer fanáticamente eso. El tiempo que fuera, pero hecho día a día, minuto a minuto, hasta la muerte. No lo pensaba sino que lo supe, muy borracho, la noche misma que dejé el alcohol. Y aquí está mi formidable test. Apto para todo servicio. O por nosotros no se preocupe, tome lo que quiera y haga de su alma lo que quiera. Como le insinuó el patrón hace un rato, cuando usted parecía tan disconforme con la vida. Yo buscaba una sola cosa y ahí aparecían otra vez todas. Qué hago. Qué se hace en un caso así. Me hago quiromántico, fundo una religión, pongo una bomba en el Reichstag, estudio germanística, escribo una novela, demuestro que Kant confundió tiempo con eternidad o que el tiempo no es una intuición pura sino una pura ilusión del movimiento, y que el espacio, en cambio, subsiste aun en la inmovilidad absoluta y en la nada. Y a mí qué me importa la metafísica. Tres o cinco años bastan para inventar un idioma analítico más interesante que el volapuk o para escribir una novela, si no fuera que la encuadernación o la teología o el flautín son un destino como cualquier otro. Entonces compré doce cajones de vino del Rhin, saqué un pasaje y me embarqué para Sudamérica. No, no me volví alcohólico por eso; yo era alcohólico de nacimiento, como pude haber sido abstemio. Cuando bajé del barco ya tenía un destino razonable; el único que me quedaba. Me dediqué a eso que se llama vivir. En el año cuarenta y siete, un buen año, me acosté con ciento cincuenta mujeres, tomé seiscientos litros de bebidas alcohólicas. Fue en Brasil. Me decían el portugués. No me estaba destruyendo, no. Estaba haciendo a conciencia la única cosa que me comprometía entero. Vivir a rajatabla y emborracharme hasta la tumba. No sé qué significa lo que voy a decir, pero de algún modo debo decírselo. Yo era feliz. Al séptimo año de esta sobrevida, en el cuarenta y nueve, y acá en Buenos Aires, me di cuenta de que algo andaba mal. Siete años no son cinco, y sobre todo no son tres. No me sentía peor que cuando me reconstruyeron la cabeza y supe que tenía páncreas. Fui al médico. Fui a cincuenta médicos. Radiografías, electroencefalogramas, tactos de recto, fondo de ojo, electrocardiogramas, análisis de orina, de semen, y consejos para dejar de beber y de fumar. ¿Necesito decirle qué pasó? ¿No se lo imagina? Estamos en 1970 y estoy acá, en El Barrilito de Villa Crespo, hablando con usted, ¿no es cierto? Entonces se lo imagina. No me morí. Tenía corazón de atleta, un páncreas raro, hígado grande y catarro. Era inexplicable, antinatural, opuesto a la medicina, y a la lógica... Si me disculpa, ¿usted comió hoy? Si piensa ir a dar una conferencia allá enfrente, yo le aconsejaría que me dejara a mí el resto de la botella y se embuchara un buen lomito. No es para poner esa cara, yo ya no puedo comer mucho, si no lo ayudaba. En resumen, Espósito, que acá estoy, o está lo que va quedando de mí. Hace unos veinte años que no me acuesto con una mujer: dejaron de interesarme el día que acepté que no iba a morirme. Lo que no pude dejar, lo que ya no me abandonó a mí, es esto. Es extraño. El organismo humano es lo que se llama el hombre, con su alma y su voluntad libre y su espíritu. Y sin embargo trabaja en secreto, a su modo, sin intervención del hombre. ¿Tiene idea de cuánto tarda esta enfermedad, esta inmundicia, para incubar en la gente? —Y el hombre de los ojos de plata me quitó casi con brutalidad la botella de la mano, y fue el primer gesto violento que le vi hacer en todo ese tiempo.— Perdóneme —dijo mientras se servía, y volvió a su tono apático y blanco—. Usted me contagia su tensión, aprieta de tal modo las mandíbulas que un día se va a quebrar una muela. Le decía que tarda entre siete y trece años. En otros, más; pero ésos no son alcohólicos, son los que toman en las comidas, en las fiestas, cuando no se pueden dormir o para pegarle a la mujer. Terminan igual pero no son alcohólicos, son los burgueses del alcoholismo. Cuando se toma como usted, si es que siempre toma así, o como yo, a los diez u once años ya no se puede dejar. No voluntariamente. Quiere decir que alrededor de los treinta y tres años, fecha de mi fallecimiento, yo quizá no estaba envenenado. Y quién sabe, con algunas cuantas células nerviosas menos a lo mejor era capaz de menos cosas. Aunque más no fuera, el flautín. Ahora me quedan únicamente hábitos. Seguir vivo y seguir emborrachándome. Y sabe una cosa, Espósito, el problema es que ahora, cuando de veras me estoy muriendo, no quiero morirme. No quiero morirme como me voy a morir. ¿Vio la fotografía de un hígado con cirrosis? ¿Vio el cerebro de un alcohólico después de treinta años de imbecilización? Yo sí.

—Y por qué no se mató —lo dije con un rencor que me sobresaltó a mí mismo, pero que no estaba dirigido a nadie—. Quiero decir, no sé. Hable usted.

—Sé lo que quiere decir. Por qué no tuve la decencia de matarme. Usted piensa que yo debí matarme más o menos a su edad. No me maté, Espósito, por falta de interés. Para matarse hay que tener cierto grado de pasión. Yo no soy un suicida ni un autodestructivo, ya se lo dije. Pero, por qué no me mato ahora, ahora que sí podría matarme. Porque no quiero. He descubierto, un poco tarde, el sentido de la vida. Sé perfectamente lo que me espera, la cirrosis, quizás una pierna cortada o las dos. El manicomio, si Dios me da salud. Calculo que me quedan otra vez unos cinco años. Y ahora no hay error, porque ahora me diagnostiqué yo. Un día el hígado no funciona más, o se perfora algo y se hace ahí adentro un pantano de orín, sangre, toxinas y excrementos. O las arteriolas del cerebro se hunden entre la grasa, se taponan de detritus y se asfixian, o estallan. O el pus de las meninges hace algo por mi alma. Quizás hasta tengo la dicha de un *delirium tremens*, aunque con mi mala suerte no creo. Pero si ahora pudiera elegir, elegiría vivir un poco más.

—Y por qué no deja esta porquería —estuve a punto de decir pero no lo dije, porque esa frase venía demasiado unida al acto de haberme casi tragado el medio vaso que me quedaba, y no me pareció oportuno. Sin contar que el whisky opera de un modo no siempre previsible y ahora me empezaba a colmar un humor sarcástico y hasta algún otro tipo de humor, todavía ignorado por mí. Así que sólo pregunté: —Y cuál es el secreto de la vida.

—Ya se lo dije —contestó el hombre de los ojos de plata—. Se lo dije al principio. Siempre puede ocurrir algo peor. Vale la pena vivir sólo por eso. Para ver dónde está el límite de la degradación, la infelicidad y el sufrimiento. Hasta dónde somos capaces de humillar y hacer sufrir a los demás, o hasta dónde la vida es capaz de vejarnos, envilecernos y hacernos padecer. Pero sobre todo hasta dónde somos capaces de llegar, hacia abajo, sin ayuda de nadie, nosotros mismos. Y ahora vaya. Se le va a hacer tarde.

La Sirenita y otras visitaciones

Y Esteban Espósito, con el saco al hombro, salió de El Barrilito, cruzó en diagonal la calle y desapareció certeramente en el zaguán del Instituto Geriátrico Vita Nova, lugar del que volvió a salir, despavorido, un segundo después, para entrar en la Casa de Altos Estudios Abraham León. Tropezó en la alfombra del vestíbulo y su cara quedó a unos centímetros del ruedo de un pequeño y trémulo ser, quien también parecía haberse equivocado de puerta, sólo que a la inversa. Espósito aprovechó el accidente para fingir que se ataba un zapato. La viejita pugnaba ahora por socorrerlo. Sonriendo desde allá abajo, él le decía no abuela, no, todo está perfectamente, un tropezón no es caída. Sin otra novedad de consideración, deambuló un rato por la galería y encontró la sala de conferencias. Un pizarroncito de juguete en la puerta. Su nombre. Espió entre las cortinas y pudo comprobar que ya había como siete personas. En su mayoría vegetales, aunque, por alguna razón, del tipo remolacha con salsa blanca. Como las familias reales que pintaba Goya.

—Profesor Espósito —fue susurrado en su oreja.

Se dio vuelta con rapidez. No le gustaba la gente furtiva, la gente que se acerca en silencio sobre alfombras. No le gustaba que le dijeran profesor. El señor que vio tampoco le gustaba. Traje gris oscuro a rayas. Con chaleco. Gordito y sonriente y, sin necesidad de constatarlo, culón. No le gustaban los culones. Para ganar tiempo, dejó el portafolio en el suelo y se puso el saco. Iba a acomodarse la corbata pero, como le pareció que el otro esperaba eso, la dejó como estaba. Levantó el portafolio y dijo que sí.

—Lo esperábamos, profesor, lo esperábamos —canturreaba el señor de chaleco.

—Pero por lo visto me esperaban el invierno pasado —dijo Espósito—. Vengo de hablar con un hombre que llevaba un paletó. Creo que vengo de ahí. Ese traje suyo no le resulta grandioso para enero. Oí en la radio que hace treinta y tres grados.

El gordito ahora se reía francamente. Un diente de oro. Apreciaba el humor de Espósito en particular y el de los escritores *underground* en general. Seguramente ha leído a Mailer. Ha estudiado contaduría pero es amplio.

—Ju, ju. Por qué no pasa a la oficina hasta que llegue el resto del público.

Esperaban sin duda algún otro contingente del Geriátrico, algún otro moribundo.

—Cómo negarme. Aunque yo diría que la palabra público es un poco tendenciosa. Hace pensar en seres vivos.

—Ay, qué humor terrible —dijo el gordo—. Pero pase. Voy a presentarle a nuestra encantadora encargada de actos, la señorita Glicere.

Los sonidos encantadora, Glicere y actos, se organizaron instantáneamente en su cabeza, primer sistema de señales, y difundieron sus ecos hacia la única zona erógena del varón nacido de mujer, debido a que en sus recientes investigaciones sobre lo eterno femenino, vestales y pitonisas, y entre tanta puta como registra la Historia, en el apartado Friné de Tepsias su atención dispersa recayó sobre un nombre, Glicere, concubina del fastuoso Harpalo, Glicere de Babilonia, luna de los festines orgíacos en los que el vino esplendía en copones coronados de rosas, Glicere de opalina piel, reinando en mesas de oro y plata ante las que bailaban las aulétridas desnudas iluminadas por antorchas de fragante aroma, Glicere de vastas pestañas quien no tuvo, como Pitionise, estatuas y pirámides de pórfido y alabastro que la recordaran, pero a la que sobrevivió en la vida y en la muerte, como sobrevivió a casi toda hembra o varón de Babilonia, pues amó y fue amada por el poeta Menandro, que la inmortalizó en canciones, y la palabra es más dura que el alabastro y el pórfido. Motivo por el cual, Espósito, al entrar en ese despacho, esperaba ver algo que por su forma se pareciera de algún modo a una mujer. Y no lo vio. Vio una estructura cilíndrica, embutida en un traje sastre gris, con el pelo cortado a la americana y peinada a lo Gardel. Ella estiró virilmente la mano. Y fue como saludar a un caño maestro.

—Cómo anda Espósito —dijo con bramido Glicere—. Siéntese. Traiga café —le ordenó al gordo, mucho más fofo ahora que antes de Glicere.

—Andar no ando nada bien —dijo Espósito—. Preferiría tomar alguna cosita con alcohol.

—Presión baja —tronó Glicere—. Por la calor. Tráigale whisky—. Y el gordito le echó a Espósito una rápida mirada que podía ser interpretada de muchas maneras.

—¿Le parece conveniente? —le preguntó a Glicere.

El aire se enrareció de golpe.

—*Me parece conveniente a mí* —dijo Espósito.

Esto explica, quizá, que veinte minutos más tarde, sin dar su conferencia, sin cobrarla, y después de un portazo que trajo como resultado el desmoronamiento de los vidrios del despacho, Espósito, bamboleante, estuviera otra vez en la vereda del Instituto mirando fijamente en dirección a El Barrilito. Lo que no explica es que, al pasar por la sala de conferencias abriese la puerta de un puntapié y, asomando la cabeza, dijera lo que dijo. Sobre todo, pensaba en la vereda, cuando entre las caras alarmadas que se dieron vuelta reconoció a la viejita que lo había querido ayudar cuando tropezó en la alfombra. No tengo perdón de Dios. Ya que no sólo alcanzó a reconocerla sino que lo dijo mirándola a los ojos, dijo que también ellos podían irse a la puta que los parió. Me estoy volviendo loco, pensó con absoluta serenidad.

Entonces apareció la Sirenita.

Tenías el pelo recogido, le diría Espósito dos años después, *tenías el pelo recogido con una cinta, no parecías mayor de dieciséis años, tenías una frente tan alta y límpida que me hizo pensar en una virgen de Rafael, tenías cara de miedo y me preguntaste si yo era yo.*

Apareció la Sirenita y preguntó si Espósito era el señor Espósito y dijo que ella venía a su clase.

—No hay ninguna clase ni me llamo Espósito ni soy de ningún modo un señor. Me llamo Trinitario Mofo y acabo de cometer un crimen. Buenas tardes. Sí, soy Esteban Espósito.— Porque de pronto creyó percibir en el aire del atardecer, como si fuera un recuerdo, un vago perfume de heliotropos, un aroma que creía olvidado para siempre, algo tan remoto en el tiempo que quizá no existió nunca pero que le recordaba otros veranos, otras veredas arboladas.— Pero todo lo demás es cierto. No hay ninguna clase.

—Acá dice a las ocho —y ella le mostró el casi invisible rectángulo de un recorte de diario que traía en la punta de los dedos, como podría mostrar Blanca Nieves una infalible hoja de ruta confeccionada por los siete enanitos.

—Cosas del periodismo sensacionalista —dijo Espósito.

—Pero estaba anunciado para las ocho —insistió con algún mal carácter la Sirenita.

—También estaba anunciado el Mesías. Y la destrucción de Nínive. Sin contar que cualquier cosa que oigas o leas sobre Esteban Espósito es una mentira potencial. En el futuro, vos creeme únicamente a mí. No hay clase. Faltó el conferenciante.

—Pero si usted vino.

Vino y bastante whisky, pensó Espósito. Vino y, a veces, rosas. Y algo de mujeres y canto también.

—Vine a avisar que no vengo. Estoy enfermo.— Y tosió. Tosió realmente; una tos alcohólica y formidable, un espasmo incontenible que le arrasó la tráquea y que, con un poco de suerte, podía pasar por un síntoma de gripe o de bronquitis crónica.— Literalmente, creo que me muero.

La chica ya lo miraba de otro modo. La tos produce lágrimas, y las lágrimas de varón, cualquiera sea su origen, caen como estrellas sobre el corazón de las mujeres, y esto era el tema de meditación de Espósito, mientras se secaba los ojos con la manga, cuando oyó un clamoroso tropel en la galería de la Casa de Altos Estudios. Un solo ojo le bastó para ver al entrado en carnes señor de chaleco, a quien había tratado de gordo maricón y puro culo, a la señorita Glicere, a quien tildó de manflora y aun de vaquillona, y, entre otros, a un vasto bigotudo en mangas de camisa de quien no recordaba haberse despedido. Ni pensaba hacerlo, si eso que estaba viendo con el otro ojo era un taxi.

—Vení —le dijo Espósito a la Sirenita—. Vamos. Creeme que no hay ninguna clase. Ni a vos te hace falta aprender nada. No de mí, y mucho menos hoy. Taxi —dijo—. Te llevo de vuelta a donde sea.

—Es lejos —dijo la Sirenita—. Yo puedo tomar el 93 en Dorrego.

Y el taxi pasó de largo. Una catástrofe inminente y silenciosa ardía en la cúpula de zafiro de una iglesia ortodoxa. El Sol despavorido y claudicante. No es bueno que el hombre esté solo. Pero la Luna, como una góndola pálida, ya venía navegando por el cielo a rescatarlo. Y otro taxi, materializado en el atardecer, se detuvo en seco junto a Espósito.

—Mucho mejor si es lejos. Subí. No hay nada como los viajes largos. Decíle la dirección al señor —dirección que, por fin dentro del auto, Espósito se prometió grabar a fuego en la memoria y que, naturalmente, olvidó tres o cuatro segundos después—. Si me notás olor a whisky —decía ahora Espósito, mientras pasaban frente al bodegón, a través de cuyas ventanas sombrías era imposible que viera al hombre de los ojos de plata, y sin embargo lo vio, o fue lo mismo que verlo, de perfil, solo e imperturbable dentro de su paletó, deshaciéndose en la locura y la muerte pero dueño del secreto de la vida—; si incluso hiedo a whisky no te preocupes. Soy yo. Alguien se empecinó, en esa casa de estudios, en sostener que lo mejor para la gripe era una medida de whisky en un gran vaso de leche caliente. Y me parece que invirtieron la dosis. O tal vez estoy débil. Los lácteos son pésimos cuando te agarran sin defensas. Así que nunca te emborraches. Ni fumes marihuana. No tomes anfetaminas. Ni te acuestes tardísimo.— Y siguió hablando, y aunque sólo años después volvería a verla, y fue ella quien recordaba sus palabras, Espósito nunca olvidaría algunas cosas. La enorme cartera de la chica, por ejemplo, un formidable bolso, sin cierre, de cuero tostado, con el que se tapaba las rodillas y en el que había metido, al parecer, cuanto tenía en el mundo, papeles, otras carteritas de diversos tamaños, una de ellas floreada, de aspecto misterioso, libros, un cuaderno de tapas verdes del todo desproporcionado para tomar apuntes, pero bastante útil para practicar escrituras ideográficas verticales como el japonés o el chino. Tampoco olvidaría que seguía llevando en la punta de los dedos la mínima brújula de papel con que lo había encontrado. Ni olvidaría un gesto o el fantasma de un gesto. En algún momento ella giró la cabeza hacia la ventanilla y se puso a mirar la calle, como si no lo escuchara, y él pensó: es de las que tienen miedo de ponerse coloradas y, ni bien lo sienten, zas, ya es demasiado tarde. A que le hago cosquillas. Se muere. Y entonces ella hizo o sucedió el gesto, que fue así: distraída cambió de mano el papelito y, abriendo un poco la mano, ahora sin papelito, la movió de derecha a izquierda, como un saludo, sin saber que lo hacía, en dirección a un grupo de tremebundos obreros en camiseta que, alrededor de una parrilla, entre tanques de alquitrán y quietos taladros, tomaban mate, sudaban y esperaban pensativos junto al fuego que llegara la noche y se asaran las achuras. Gesto inconsciente e infantil, sombra de algo sucedido muchas veces, muchos años atrás, y tanto más conmovedor, pensó Espósito, cuando este casi secreto ir de acá para allá de su mano no fue hecho para ser visto por nadie, y mucho menos, al filo del anochecer, por ninguno de aquellos hombres sudorosos y taciturnos, pero que uno de ellos recibió, justamente el que cebaba, y levantó en el acto la cabeza, sonrió, y alzó mate y pava hacia el auto como si la invitara o los invitara a los dos, porque de pronto Espósito se sintió incluido en el mundo de la Sirenita, quien ahora lo miraba sin sorpresa pero, de algún modo, victoriosa, como si aquel tipo de milagros fuera la realidad de la vida. Y a lo mejor, lo era. Lástima grande que en ese punto infinitesimal de la historia de Esteban Espósito convergían demasiadas cosas, todo su pasado por ejemplo, y la sola representación de la carne sobre la parrilla produjo en su estómago un colapso tan cercano al vómito que debió encender un cigarrillo, lo que a su vez le causó un nuevo acceso de tos y náuseas, y se sintió rogando no, por favor, Dios mío, ahora y acá no. Y aunque a desgano, fue escuchado.— Ya sé que no debería fumar con esta gripe. Pero tengo un organismo privilegiado. Con decirte que boxeaba. Y a propósito de deportes —le dijo con repetina sequedad al chofer del taxi—, ya veo que a usted le gusta el automovilismo, pero por qué no lo practica en otra dirección. Que hiedo a whisky, es cierto, pero en todo caso el borracho soy yo, no usted. Lo que quiero decirle es esto: en la primera esquina doble a la derecha, siga sin titubear hasta Dorrego, vuelva a doblar a la derecha, vale decir, exactamente al revés de como vamos. Y ahí le pega firme, a la velocidad que quiera, en dirección al océano Atlántico. Después, dirige ella. Perdoname la interpolación, pero de qué hablabas.

—Yo no hablaba —dijo la Sirenita.

—Entonces hablaba yo. Qué te pasa que estás tan seria. Hice algo incorrecto. O raro. ¿Cómo te llamás? No me lo digas. Yo te voy a nombrar con tu verdadero nombre algún día. Lo que tenés que hacer es esto. En ese mismo papelito que llevás en la mano me anotás tu número de teléfono, nada más. Cuando yo no me dé cuenta. Y antes de bajarte me lo ponés en el bolsillo. Yo no voy a enterarme, eso te lo juro. Y un día yo encuentro el papelito, reconstruyo todo y te invito a tomar un naranjín. Me querés decir qué te pasa.

—No tengo teléfono ni pienso dártelo —dijo la Sirenita.

—Ay, Dios mío todopoderoso he caído en manos de una criatura demente. Si no tenés teléfono, no tenés. Si no pensás dármelo es porque tenés. Pero me estás tuteando y ni siquiera sé tu nombre. No me lo digas. Y por qué estás tan enojada, vamos a ver. Por mis modales, por mi gripe, porque te costeaste hasta Villa Crespo para adquirir Grandes Conocimientos. No te preocupes. Te doy una clase a vos sola. Usted no mire por el espejito ni se me distraiga, chofer, casi arrolla a una gorda. Puedo pasarme el resto de mi vida dándote clase a vos sola. Sé de todo.

—Hace un momento dijo que no tenía nada que enseñarme.

—Tuteame.

—No quiero.

—Así que yo dije eso. ¿Yo dije eso? Y cuándo, si se puede saber. Pero si lo dije fue por algo. Soy una de las pocas personas que van quedando —dijo en otro tono, sin saber muy bien lo que decía—. Que van quedando con vida en este país. —Sin saberlo o sabiéndolo de otro modo, ya que sus palabras fueron el oblicuo resultado de algo que estaba por ocurrir en la otra cuadra. Media docena de patrulleros y dos carros de asalto, repentinamente surgidos de la nada, convergieron en silencio sobre esa calle y, unos segundos después, veinte o treinta policías con cascos y ametralladoras irrumpían en varias casas al mismo tiempo. —No doble nada, siga por ahí —dijo Espósito. Las palabras: "Usted está mal de la cabeza, usted me dijo a mí que doblara y yo doblo", murmuradas por el chofer, la voz muy clara de la Sirenita: "No le haga caso" y el chirrido de las gomas al tomar la curva, se cruzaron en el aire. "Y ahora siga como él dijo hasta Dorrego y, por favor, maneje más despacio", agregó la Sirenita. Palabras dichas con tanta serenidad, persuasión y firmeza que tuvieron la virtud de aplacar a los ángeles guardianes de Espósito, quienes, por una vez, se habían puesto de acuerdo: No doblar. Avanzar por esa calle. El Malo, contra la Autoridad en cualquiera de sus formas, divinas o terrenales, y el Bueno, por antipatía hacia el taxista, a quien le había tomado ojeriza por razones angélicas. —Así que yo dije esa estupidez —decía Espósito—. Qué raro. También es raro lo poco que me dura la conciencia social. ¿Oíste eso? Son tiros ¿Oís? Y se van a oír muchos más. Me refiero al futuro. Este país huele a cementerio. Suerte que yo no voy a estar para verlo. No hagas caso, son palabras. Se llama humor patibulario. Jack London decía: la lógica sepulcral. Y yo inventé la zona purpúrea. Por eso, y este "por eso" sólo se entiende en esa zona, por eso, para volver a nuestro asunto, yo sé que no pude haber dicho que no tenía nada que enseñarte. No pude ni haberlo pensado. Si dije algo, habré dicho que vos no debías aprender nada de mí. —Espósito intentó secarse la frente con la mano, simulando echarse el pelo hacia atrás, sólo que el gesto no cumplió con naturalidad ninguno de sus objetivos: la mano, descontrolada, llegó con más fuerza de lo necesario, lo que podía ser atribuido a un barquinazo del coche, y luego, como si obrara sola, imprimió a su paso una huella púrpura que él, por supuesto, no vio, ni vio la Sirenita, pero que en algún sentido resultaba demasiado patente. —Por lo menos hoy.

Ella lo miró un instante, con una curiosidad que se parecía también a la desconfianza y al temor.

—Sí —dijo por fin.

—Sí qué.

—Que es eso lo que dijo. Casi con las mismas palabras.

—También lo último —preguntó a medias Espósito, mientras se pasaba al fin la mano por el pelo, si no con la displicencia deseada, al menos sin mucha brutalidad. Y se dio cuenta de que estaba haciendo un esfuerzo mental desproporcionado. Le hubiera gustado saber por qué. —Quiero decir si también te dije que hoy, sobre todo. O que por lo menos hoy.

—También —dijo ella.

—Eso me tranquiliza mucho. ¿Vos me preguntaste qué me pasa? ¿O sólo lo pensaste? Ya te lo dije: tengo gripe. Y estoy mareado. Y desde que me levanté me duele la cabeza —frase que la Sirenita debía interpretar ''desde esta mañana'', pero que significaba aproximadamente desde hace treinta horas, después de tres días enteros de dormir, sólo dormir, sin comer, ni soñar, con el teléfono desenchufado y una servilleta trabando la campanilla del timbre de la puerta, casi sin vivir, como siempre después de una borrachera que esta vez había durado, ¿cuánto?, ¿días?, ¿una semana?, ¿dos semanas? Y en qué ciego, borrado, olvidado para siempre, desaparecido lugar de esa trampa, en qué pozo de esa nada menos parecida a la vida que sus tres noches muertas, había sucedido lo que culminó esta tarde, suponiendo que fuera una culminación, suponiendo, me cago en (¿quién?) Dios se apiade de mi alma, que fuera una culminación y no un comienzo, el umbral de algo ya incontrolable y pavoroso, pero que debe necesariamente acabar de algún modo, acabar de una vez, o yo matarlo (¿matar? ¿a dónde nos están llevando las palabras, la mala literatura? ¿matar a quién? ¿a qué perro? ¿ladra en el corazón? ¿en la cabeza? ¿es un perro?), matarlo y acabar yo mismo con decencia esta agonía. —¡Agonía!— dijo el Diablo y Espósito se sobresaltó, porque la voz se abrió paso entre otras voces bromistas y era su voz real, no la de ningún intermediario sino *Su* voz, sarcástica y fría y parecida a una risa —Agonía, el hijo de puta dice agonía. —Y al ver que la Sirenita lo miraba, Espósito fingió haberse quemado los dedos y tiró el cigarrillo por la ventanilla mientras seguía hablando con ella de su dolor de cabeza o de alguna otra cosa, y en otras esferas, por decirlo así, discutía sobre diversos temas con más de un antagonista, ya que repentinamente albergaba a unos cuantos, y sobre todo a uno. —¡Agonía! Se atreve a usar cualquier palabra. Dice muerte, dice dolor, dice agonía. Agonía es lucha. Y tu agonía es pura disolución, carece de la esencia trágica del verdadero agonizar, que es el dolor genuino, que es el sufrimiento. Tu agonía carece de dignidad. Es resaca de botella, temblor de día siguiente, dolor de cabeza del día siguiente. —Pero tan fuerte —objetó Espósito intranquilo—, tan fuerte que es casi alarmante, es como si. —¡Como si! Va a hacer una metáfora, va a decir algo parecido a es un dolor tan grande, amigos, que no cabe en el mundo. Le gustan las frases ajenas. Él, todo entero, no es más que una infinita variación de frases ajenas. Siente que es imposible tanto flagelo sin que pase algo, una revolución, acá abajo o allá arriba, piensa: cómo hacen las estrellas para rotar sobre sus ejes y seguir sus órbitas sin desplomarse sobre este taxi si yo me muero. Ni siquiera se le ocurre que justamente no se desploman por eso, porque rotan sobre sus ejes y siguen sus órbitas. O sea que no pasa nada. No cataclismo. No estrella llamada Ajenjo. Ni la menor sombra de Apocalipsis. Sólo resaca y frases ajenas. Y como se ha vuelto amnésico, está olvidando lo principal: Si lo das todo, menos la vida, has de saber que no diste nada. —*Vade retro!* gritó, ebrio aunque intrépido, el ángel cirrótico y bueno, despierto de golpe—, te prohíbo, Satanás, utilizar el Evangelio a la marchanta, la palabra de Dios se escupe de tu boca— interrupción que desató en el tribunal lo que podríamos llamar, sin exageración alguna, un estruendoso pandemonium de silbidos, abucheos y expresiones que en lengua humana podrían transcribirse como fuera, que lo echen, hagan callar a ese mamado. —Si lo das todo menos la vida —prosiguió impávido el ángel paradojal, que era el Fulminado y el Maligno, pero también, por alguna razón, el ángel ético—, si lo das todo menos la vida, no es palabra de Dios, es palabra humana, encrucijada humana, destino humano. —De cualquier modo —pensó con precaución Espósito— podría concedérseme que, en algún sentido, me estoy matando. —¡Bravo! —se oyó—. Mierda —se oyó—. Sofisterías, palabras, hábitos verbales. No hay más muerte que la muerte de la vida, y lo que vos estás matando es un cadáver, un pingajo de hombre, un principio de corrupción. O no te das cuenta de que te estás apartando cada día más de la verdadera agonía, del verdadero dolor y hasta de la muerte verdadera. Ni siquiera se está matando. Se está muriendo de miedo. Y no hablo de los temblores del día siguiente, de tus salidas furtivas por el pasillo de casa, ni siquiera del terror nocturno que hace crujir los huesos y la cama; eso no es miedo, son síntomas que comparten, según tu propia estadística, un millón y medio de bravos alegres muchachos bebedores en este subdesarrollado confín del hemisferio. Se llama panfobia, puede llegar más o menos a esta hora si no se tiene algo a mano, mujer o botella, viene de atrás o del costado y por sorpresa, como el delirio, y es el pródromo del delirio. Ya lo ronda, eso se nota, pero no es el miedo que nos da miedo—. Y Espósito, aterrado de veras estuvo a punto de tomar la mano de la Sirenita, gesto que transformó en el de abrir repentinamente el portafolio y hurgar en él, como si buscara algo, que de todos modos encontró. —Qué es eso —preguntaba la Sirenita, en la realidad visible. —Excusas —dijo el Adversario. —Anfetaminas —imposibilitado por esencia para la mentira, dijo su custodio malo. —Antigripales —dijo Espósito. —Excusas para vivir y excusas para matarse, no hay nada en él que sea verdadero. Pero, con qué derecho... —Pape Satan, Pape Satan aleppe —musitó definitivamente perdido por el efecto paradójico de sesenta miligramos de anfepramona, talco y excipientes, su buen ángel tutelar, y fue su última intervención, ya que salió disparado por la ventanilla a causa de un sólido puntapié en la zona angélica que, en seres no espirituales, corresponde al rabo, y cayó despatarrado y casi implume en la boca de una cloaca, donde quedó dormido pero aún irradiaba como una vaga niebla de oro—, con qué derecho este bastardo, plagiario, simulador, taimado borracho hijo de puta, pretende desviar el curso que le trazamos en su hora, hace casi diez años, camino espinoso y vía de dolor que da a la más estrecha de las puertas porque detrás no hay recompensa alguna, destino cuya derrota, en los dos sentidos de la palabra, consta en un documento autógrafo, aún larval, escrito a medias, que debe ser entregado en día y hora señalados de antemano y sin embargo. —Momentito —dijo en voz alta Espósito, y la Sirenita lo miró sorprendida, ya que ella venía hablando ahora de una infancia con médanos, de paisajes que cambiaban con el viento—. Quiero decir, antes de que te bajes y no te vea nunca más, tenés que hacer algo por mí. Escuchame bien —¡Momentito!, pensó como si gritara. —Algún día —dijo—, te vas a encontrar de casualidad, como hoy, o por error, con alguien que desde una alcantarilla te va a decir: Vos sos la Sirenita. Ahora supongamos que yo me muero esta noche. Callate que no puedo pensar. Un día, a vos, te van a llamar la Sirenita. Muy bien. Sea quien sea, te agachás y lo levantás del zanjón. Y después, te arreglás, porque ahora viene lo que yo puedo enseñarte pero vos no vas a aprender. Uno, la felicidad. ¿Qué es la felicidad? Nada. Una palabra para designar algo que siempre ocurre en el pasado, y, como siempre ocurre en el pasado, resulta que nunca ocurrió. Vale decir, no existe. Dos, el amor. El amor sí existe. Es una catástrofe, una calamidad, una peste letal como el cólera morbo. Es raro, eso sí. Es raro y monstruoso. Esperá un poco que me acuerde. Es raro y monstruoso como el genio, y como él desdichado, condenado al dolor. ¿Quién lo dijo? Barret. ¿Qué Barret?: el único. Rafael. Un anarquista idéntico a Cristo y a mí cuando me deje la barba y si yo fuera rubio y alto y de ojos azules. ¿Otro interrogante? La esperanza. Muy bien. Al revés de la felicidad la esperanza sí existe. Existe porque está en el futuro, y si eso no lo dijo Pascal, debió decirlo. Sé muchas más cosas. La mujer. Ahí va: la mujer es la casa del hombre y todo lo demás son pelotudeces, excepto una cosa. Y es mi última lección. Yo cometí un crimen. Maté a un amigo. Él tenía sueño y yo le di una de esas porquerías que usan los drogadictos, los impotentes y los borrachos para despertarse y le gustó y se volvió loco y se rapó y tocaba la guitarra y se fue a los acantilados, con el propósito, supongo, de volar. No voló. La lección es: no todos los hijos de Dios tienen alas. Pero mi amigo sabía qué es la poesía. Cuando el señor de la alcantarilla te diga: Vos sos, y te nombre, antes de alzarlo, ahí vos tenés que preguntarle: Qué es la poesía. Y si él sabe, si todavía se acuerda, chau. Listo. A mi amigo le crecen las alas y yo me cago en la muerte. En fin, tal vez esto último no esté tan claro como creo. Qué estaba por decirte. Estaba por decirte algo de Rafael Barret. Ah sí, Rafael Barret se hubiera enamorado de vos. Y mi amigo también, claro.

—"...Y si los señores", pensó "si los señores desean saber algo sobre la poesía, lo que es la poesía..." —¿Y sabés por qué?— "...yo se los diré: Es un señor o una señora" ¿cómo seguía? José Antonio Barzak, mi amigo se llamaba José Antonio Barzak, se volvió loco, medía como dos metros, le hice una promesa, era vegetariano, le gustaban las mujeres, robaba la Biblia, una vez quemó un colchón, otra vez robó una sandía, en alguna parte tengo que escribir estas cosas me importa un soberano carajo si las entienden o no, el colchón lo quemó en Rosario mientras leía a gritos a Dylan Thomas, casi quema toda la casa, quería escribir un libro sobre un viejo poeta internado en Open Door, lo que hubiera sido eso —Quoth the Raven: Open Door —dijo en voz alta Espósito y la Sirenita lo miró—. Quiero decir, sabés por qué Poe se hubiera enamorado de vos. Barret, no Poe. Aunque Poe también, para no insistir con mi amigo. Por tu modo de sostener ese papelito. —La Sirenita se puso colorada, cosa imposible de verificar con esa luz, pero tan cierta como el microscópico temblor de su mano; dio vuelta rápidamente la cara y se puso a mirar por la ventanilla. —Sí— dijo Espósito—. Ya lo sé. Tengo una habilidad casi sobrenatural para hacer que todo resulte incómodo. —Y ahora, cáfila inmunda de imperceptibles cornudos de opereta, pensó con repentina ferocidad, como si quisiera tomar por sorpresa a todo el simposio, ahora sigamos con lo nuestro, y quizá los tomó por sorpresa, ya que hubo un principio de desbande general ante la horda de sus sesenta miligramos sobreoxigenando y fulminando todo lo que encontraban en su camino. Y ahora que alguien me explique desde cuándo hay otra agonía o batalla que no sea la que pasa por el cuerpo y otro sacrificio, y aun otra resurrección, que no sean los de la carne, desde cuándo hay otra desventura, angustia o tragedia que las que retuercen el corazón y las tripas, u otra hambre, otra sed, otro deseo que los que retuercen las tripas y el corazón, cuándo cambiaron tanto las cosas como para que cualquier dolor humano, por mínimo que sea, no ponga en cuestión el universo entero y refute la impavidez de las estrellas; con qué indigna gentuza infernal de qué trastienda de qué Despacho de Bebidas de allá abajo me tocó dialogar a mí, pero quién dijo que yo estoy dispuesto a dialogar con nadie aun más beodo, más estúpido, más degradado y caído que yo mismo; y sobre todo, imbécil, qué es esa inepcia de que se me trazó un destino o derrota, en el sentido que sea, como no sean la derrota o el destino —...cuidado— le susurró a la oreja su tutelar malo— la derrota elegida por mí, y me importa otro carajo soberano si Alguien, arriba o abajo, desata lo que digo, la derrota y el destino que yo mismo me impongo a mí mismo. —Bueno —dijo socarrón un diablito de menor cuantía—, están pariendo las montañas. ¡Nacerá un ratón! —Nacerá antes de lo que se imagina —habló secamente el Demonio—, pero inclinémonos ante su elocuencia, lo que ha dicho este payaso suena bastante bien. Lo aprendió de mí, o, para dejarlo con su libertad, del yo que es él. Lástima que deba apelar a toda clase de botellones y frasquitos para recordarlo. Y no es que tengamos nada contra los impulsos artificiales siempre y cuando desaten consecuencias legítimas, o sea que no se trata ya de dialogar en los más altos niveles sino de documentar. Y de que nos quede tiempo. Muy cierto que el alma es el cuerpo y etcétera, pero lo que nuestro cómico psicópata parece no advertir es que si se desintegra, revienta o descerebela antes de su tiempo, no habrá ningún destino libre ni ¿o me equivoco? corporeidad de ninguna especie, ni el menor rastro de *corpus* espiritual, nada de estela tras su chinchorro ebrio. A este paso, lo único verdadero, corpóreo, dimensional y sólido que nos va a quedar, es tu locura, ya demasiado tangible por momentos. Verdadero porque la locura siempre es verdadera, pero no en todos los casos genuina. Y hemos subido, reloj en mano, nada más que a recordártelo. Como dijo cierto degenerado superior o loco en serio, la inmortalidad está enamorada de las obras del tiempo. Claro que hay que tener tiempo. Y hoy, y ya nos vamos, hay grandes chances de que sea tu último día. ¿O no sabés que estás por matarte? Libremente, eso sí. Y lamento tener que mencionarlo ante la criatura del papelito, quien, sin saberlo, puede apresurar las cosas o desencadenar otras no permitidas, motivo por el cual se alargó tanto este parágrafo o viaje en taxi, que debió tratar simplemente de un viaje en otro taxi, el que pasó de largo, con Espósito y nosotros a solas. —Momentito —dijo Espósito y tuvo la impresión de que esto ya lo había dicho, porque la Sirenita lo miró sobre un fondo de médanos, de paisajes transfigurados por el viento, de resplandecientes dunas. —Momentito, confuso corruptor, casuista del embarullamiento y la ambigüedad, no vas a confundirme, no voy a confundirme, lo único que quiero es saber qué significa para mí, *quién es* la Sirenita. —No hay respuesta; digamos que, a veces, se cometen descuidos, se entrecruzan ciertas líneas. La irrupción de esta criatura puede resultar desordenante. —Te exijo que... —Por favor, Esteban —suplicó de pronto una voz que daba escalofríos—. Por favor, animal —dijo el Demonio—, no des órdenes a lo Fausto, o no te das cuenta de que ni yo creo en mí. ¿La Sirenita? Bien. Como, aunque yo no exista, adivino el pensamiento, te confieso que no tenemos ninguna jurisdicción sobre ella. Desdichadamente. Y en lo que a nosotros respecta... —Y la voz volvió a cambiar, y Espósito sintió pánico, un miedo desconocido que le empapó la espalda, le enfrió la frente y le hizo temblar el cuerpo sin la menor posibilidad de disimulo. —En lo que *a mí* respecta este encuentro no ocurrió —la voz de Mara.

—... algo por mí —le dijo casi con brutalidad Espósito a la Sirenita—. Escuchame bien. Vos vas a darme ahora mismo ese papelito. No hace falta que escribas nada.

La chica, serenamente, dejó de mirar por la ventanilla y lo miró a los ojos; después se quedó mirando el recorte. Uno de esos instantes brevísimos que duran demasiado.

—No —dijo la Sirenita—. No voy a dárselo.

(No ocurrió.)

—Tuteame.

La chica guardó el papelito en su enorme cartera de Pandora y volvió a mirarlo. Lo miró directamente a los ojos, una mirada tan franca y tan de otro lugar, que si Espósito no se defiende a tiempo el golpe lo hubiera arrojado fuera del coche.

—No voy a dártelo —dijo.

(Ocurrió.)

Espósito sintió de pronto una triunfal malignidad. Clavó sus ojos en los de la chica hasta casi sentir vértigo.

—Por qué. Por qué no vas a dármelo. Decime por que.

La chica no bajó los ojos.

—Porque vos vas a perderlo. —¿Lo dijo? ¿Lo había dicho o sólo lo pensó? Y ella aguantaba su mirada sin pestañear, como sin darse cuenta de que se estaban mirando, mientras Espósito sentía que la estaba sondeando casi con odio, con una perversa clarividencia parecida al mal. —Porque es mío —dijo sonriendo la Sirenita.

Y pestañeó.

—Muy bien —dijo Espósito y ahora no veía sino médanos, arenas de oro blanco, hojas de otoño en placitas de pueblo, el campanario de una iglesia chiquita al final de una calle de tierra—. Pero te das cuenta de lo que estás haciendo, de lo que significa no dármelo, de que a lo mejor ésta es la única vez que estamos juntos y que este viaje no es cualquier viaje. —Y que por eso no querés dármelo, ni que se pierda, y no es muy seguro que esto último lo estuviera diciendo, pero carecía totalmente de importancia, porque ella cruzó las manos sobre su grandiosa cartera y dijo:

—Sí.

Y tenías bastante cara de loco, le dirá alguna vez, y por un momento me dio miedo pero después no y era como sentir que me estabas hablando sin hablar, o pidiéndome algo, y entonces pasó algo muy raro, te acordás.

La Sirenita se soltó el pelo. Volvieron a mirarse, asombrados, y se rieron.

Y si los señores quieren saber algo sobre
la poesía, lo que es la poesía, se lo diré:
Es un señor o una señora, un niño o una niña,
sentados o parados, en Bolivia o en
Indostán, levantando un brazo cuando
pasa un tren.

—Y, jefe, qué hacemos —dijo o repitió el chofer, no en ese momento: bastante después. Pero ya se ha visto que el tiempo se comporta a veces de una manera extraña.

El automóvil está detenido junto a lo que parece un vasto baldío pantanoso.

La Sirenita ha desaparecido.

Verde el árbol de oro de la Vida

Y, jefe, está diciendo el chofer, qué hacemos. Es la primera vez que lo dice; su voz es hostil pero paciente. Por la ventanilla de Espósito se ve el baldío, un gigantesco edificio a medio demoler, y en alguna parte difícil de situar suceden cosas. Un estampido, por decirlo así, dentro de su cabeza o irradiándose desde allí a todo su cuerpo, un estampido o una estampida, la expulsión simultánea de toda clase de huéspedes ruidosos, aullantes y bestiales, lo cual es por supuesto una metáfora, pensó, lo pensó en el mismo instante en que ocurría. Pero supongamos que hay que escribirlo. Qué decir. Sentí un escalofrío que me atravesó de la cabeza a los pies. Y, de inmediato, una puntada. Del otro lado de la ventanilla lo miraba, fijamente, su último huésped. Sintió una puntada fulgurante detrás de los ojos o vio que lo miraba con fijeza una especie de carnero. No un macho cabrío, no un dragón, ni mucho menos alguna imposible cruza rampante o rastrera, la puntada era una puntada real detrás de los ojos, un dolor que duró un segundo y que, por decirlo así, era una hermosa cabeza cavicornia que lo miraba fijamente del otro lado de la ventanilla. Un carnero de testuz sereno y sombrío con una majestuosa cornamenta espiral, envuelta hacia atrás, algo acaracolada y con una prominencia rectilínea continua alrededor de la curva del hueso. Pero sobre todo no había nada, ya que Espósito seguía viendo el gran edificio derruido, no la soberbia cabeza pánica, y sólo sentía una puntada agudísima que, para también decirlo de algún modo, por fin habló: —Ocurrió, de acuerdo —dijo la bellísima bestia solar que era un dolor, no una imagen, y Espósito supo sin sobresalto que se refería a la Sirenita—. Ocurrió. Pero desde hoy en adelante mi nombre es MIEDO.

—Y qué hacemos, jefe —repitió el taxista y Espósito ahora sí se sobresaltó, se sobresaltó de tal manera que fue a dar contra el respaldo del asiento; solía sucederle cuando el dolor de cabeza se le iba de golpe—. Se hace el loco o qué —decía el taxista.

Espósito seguía mirando las ruinas, o lo que fueran, pero al ampliarse su campo visual no pudo dejar de ver, real, horrenda, en diagonal a sus ojos, dentro del auto, la cara del chofer. No era una cara amistosa. No era una visión agradable. No era ni siquiera una cara. Fosforecía. Careta es la palabra, o quizá máscara. Una gran cara fosforescente en la nuca de una cabeza acromegálica; no en la nuca, por supuesto, nadie tiene la cara en la nuca, pero ésa fue la impresión de Espósito, pues no esperaba que el hombre se hubiera dado vuelta hacia él.

—Discúlpeme —dijo.

—Le estoy preguntando qué hacemos, jefe.

Una cabeza como un gran zapallo calado, con una luz adentro. Para asustar a los niñitos. Espósito siempre supo que no hay como la realidad para que la imaginación, aun la suya, resulte una especie de viejita mitómana. No basta saberlo, pensó.

—Vamos a hacer una cosa —intentó sonreír; como un enterrado vivo que recuerda un chiste—. Lléveme a cualquier parte. A Caballito. O mejor al puerto, ahí está. Vamos a la Vuelta de Rocha —dentro del taxi no pareció cundir el entusiasmo—. ¿A la Plaza Irlanda?... Mire, déjeme en el primer bar abierto que encuentre.

—Vea, don —dijo el taxista—. Todos los bares de Buenos Aires están abiertos. Son las nueve de la noche. Y ahí mismo, enfrente, tiene unos cuantos. De este lado; eso que está mirando es la demolición de —y Espósito se negó a oír, por qué ese violento animal iba a interferir en su melancólico pantano, en su castillo en ruinas— ...así que mejor me paga, se baja y cruza caminando.

—Usted no va a creerme —dijo Espósito—. Pero no pienso pagarle. —Ya está, ahora puedo descansar tranquilo. Madelaine, el laúd.

—Me las aguanté por la chica. Pero la chica ya se bajó. Así que pagame o te mando en cana. Y antes te reviento.

—No voy a pagarle por dos razones. Y si me hace el favor no me tutee. Dos razones. La primera no es muy importante. No sé si tengo plata. La segunda es una buena razón. Usted quiso extraviarme, quiso extraviar a un ebrio inocente, o culpable. Pero a un ebrio, un ebrio que tal vez necesitaba disimular su ebriedad, su culpa, su infinita culpa e ilimitada ebriedad... justamente porque... Entonces, si la chica estaba, ocurrió. Usted es una persona muy compleja, señor...

—No me cargués, loquito. No me cargués que estoy hasta acá de mamados como vos.

—Muy compleja, pero —dijo Espósito mientras abría con naturalidad la puerta y comenzaba a bajarse—, por eso mismo muy jodida. De todos modos, gracias —y salió del auto bajo la desolación de un cielo en el que gravitaban bajas y pesadas nubes, en esa región singularmente lúgubre del país, y al fin, se encontró ante la melancólica Casa Usher. "Es lejos", había dicho la Sirenita en Villa Crespo. Lo que no dijo es que era tan lejos. Y Espósito sonrió desalentado al recordar que también había dicho: "Puedo tomar el 93 en Dorrego". Desalentado porque ella había dicho puedo, y no: podemos. Esteban Espósito, una abstracción del singular, sonriendo sin embargo porque al fin de cuentas ella viajó con él, y antes le había dicho que era lejos, o sea: para qué tomar un taxi, es un gasto inútil. Sabe cuidar mis finanzas, es modesta en espíritu y quizás hacendosa. Hace bizcochuelo y estudia y estudia. La trova provenzal en tiempos de Guillermo IX de Aquitania. Junto al samovar. Después se come el bizcochuelo con Esteban, quien ya no es Espósito a secas, porque no está solo, los dos comen bizcochuelo departiendo sobre el código del amor cortés y de sumisión a la mujer, curiosa costumbre la de llamar *Senhor* a la dama, dice él mientras manduca y ella explica no, nada de eso, pues en la edad de Ovidio, *aetas ovidiana* (ella pronuncia *ouidiana*), los vasallos nombraban a su señor así, *Senhor,* y el varón es el vasallo de la damisela. Y se sirve Vascolet. Porque la Sirenita come su bizcochuelo con Vascolet. Y él con grappa. Grappa previamente teñida con anilina para que parezca horchata de chufa. Y como a él la grappa lo va dejando ciego, porque a la larga el alcohol también afecta la vista —Dios y Padre del Cielo, pensó Espósito debajo de sus pensamientos que en realidad eran puentes levadizos, rejas, defensas contra algo que se avecinaba y se cernía, Dios y Padre del Cielo, qué es lo que no hace esta horrible cosa que nos diste a tus hijos, qué átomo humano espiritual o físico no destruye, tala, pudre, fulmina, siega o ciega—, como a él la vista le fallaba, ella, bajo una parrita de un metro cuadrado, le leía al caer la tarde esos libros que siempre fueron sus lagunas de autodidacta, le leía *El Guzmán de Alfarache*, una versión expurgada del Amadís, en cincuenta páginas, *I Promessi Sposi*, Foscolo, Benito Pérez Galdós, algunos exiemplos, *La Novela del Rey Marcos e Iseo la Rubia*, de Chrétien de Troyes, en fin, muchas lecturas. A veces, si él se portaba bien toda la semana, ella le leía algo de Poe, las *Memorias del Subsuelo* y cosas chanchas de Arlt y Marechal. Pero en ausencia de la Sirenita él se tapaba las orejas con las manos, y de pronto reía con risa de lobo y decía palabrotas, decía umbligo, caca, upite, tenía ataques de epilepsia y llamaba por teléfono al Bajo Fondo. Y del Bajo Fondo subía, envuelta en llamas, una niña perversa no mayor de diez años, de ojos nictálopes y boca ávida, que le leía las partes más asquerosas de Sade, de Genet, le leía *Sexus,* La Biblia, cosas de antropofagia, Massoch, el Aretino, El Tarot de los Bohemios y todos los libros de cábala y demonología que se le antojaran, tanto como para no perder el entrenamiento, ni la Culpa, pero al fin la Sirenita volvía arrastrando valijas por la escalera, triunfal, traía factura de chancho, venía aromada de nísperos, llegaba con pasteles y amarantos, le decía me extrañaste, qué olor a azufre, abría puertas y ventanas y él se ponía anteojos negros, no le gritaba que aborrecía el sol y las corrientes de aire, quiero morir con dignidad, carajo, se ponía anteojos negros para disimular el remordimiento y el estrago, quiero morir viendo escorpiones, lémures sin ojos, ratas, morir como una cucaracha entre las cucarachas porque qué es ese infierno sino la vuelta al origen, el reconocimiento en la oscuridad, el espejo de la cara del hombre. No le decía nada de esto, le decía te extrañé, amor. Y era cierto. Desde que te fuiste o Algo se fue, o lo perdí yo mismo— esa tarde que es ésta o una mañana cuando tenía ocho años o la cárdena doliente indeseada noche en que nació lacerando un cuerpo de mujer, causando su primer dolor, o en cualquier sepultado coágulo de la vigilia o del sueño cuando la alegría lo miró por última vez a los ojos, en alguna cama, en algún bar, dónde—, desde antes de mi nacimiento te extraño, pero qué linda corriente de aire, lo hace sentir liviano como un pájaro asesinado a uno, lo levanta del suelo como al hijo de puta que es, le grita hay que pagar, pagar por algo, ¿qué pasa?, pagar todo o lo revientan. Pero qué pasa.

—...yo te voy a explicar en seguida —dijo el taxista—; yo en seguida te voy a explicar qué pasa. —Había salido del auto y tenía en su mano un buen pedazo de las solapas de Espósito, a quien le pareció que el suelo se retiraba bajo sus pies y quedó en el aire. Otra mano, un puño anormal, se agitaba muy cerca de su cara. —Ahora vas a saber qué pasa.

—Suélteme, se lo suplico. Usted no se imagina.

Y Espósito, mientras se bamboleaba de un lado a otro como un muñeco de trapo, sintió de pronto que los ojos se le llenaban de lágrimas. Una tristeza insoportable, algo peor que la tristeza. Una gran compasión. Por sí mismo, por ese hombre. Algo inmenso. Los abarcaba no sólo a ellos dos, también a esa gente que comenzaba a rodearlos, a los tres o cuatro choferes (¿o eran más?) que frenaban sus taxis y bajaban golpeando puertas, a los que al otro lado de la avenida Coronel Díaz, en iluminados cafés con mesas en las veredas se ponían de pie, mientras las palabras obscenas del hombre (él tiene razón, pensaba Espósito, pero no debería hablar, no debería hablarme así) estallaban en sus orejas como petardos y las frenadas y los portazos le rompían el corazón. La pasividad de Espósito pareció enardecer al hombre.

—Qué es lo que no me imagino —gritó.

Y Espósito sintió que algo se rajaba en su pecho. Una tela. Va a romperme la corbata. Dios mío, no.

—No me rompa la corbata —dijo con la voz enronquecida por una emoción que subía en marejadas hacia su garganta, hacia sus ojos, que trepaba en grandes olas hasta casi hacerle estallar la cabeza—. No me rompa la corbata, por favor. Usted no entiende.

—No entiendo. No entiendo qué, borracho hijo de puta, no entiendo qué. Pagame o te mando al hospital. No entiendo qué.

—Que puedo matarlo —dijo.

Y con frialdad casi criminal levantó de golpe la rodilla derecha. Sintió, en mitad del muslo, los testículos del hombre. Alguien gritó. Vio cómo el pesado cuerpo se desmoronaba contra él; alzó hacia el cielo las dos manos juntas, entrelazadas, como si rezara, y las descargó con toda su alma sobre esa nuca informe, al mismo tiempo que, levantando otra vez la pierna, le plantó la rodilla en la cara. Oyó el chasquido del cartílago de la nariz, oyó otro grito aterrado —estoy gritando, sintió en algún lugar todavía humano de su cerebro, soy yo ese que aúlla como un animal, soy yo el que siente esto y grita, y es como la felicidad—, y se echó hacia atrás gritando, perdió el equilibrio y cayó sentado en el medio de la calle. No duró más que un segundo. En el segundo siguiente, mientras intentaba ponerse de pie, alcanzó a pensar que por lo menos dos personas no habrían aprobado esto. Aunque por motivos distintos. Pegarle semejante rodillazo en los testículos a un hombre, por más horrendo que ese hombre fuera, y Espósito se dio cuenta de que seguía odiándolo y quería ponerse de pie por eso, para borrar del mundo esa repulsiva jeta, lastimar así a un hombre iba contra todas las milenarias leyes de las artes marciales. Y en su apuro por pararse, resbaló y volvió a caer sentado. Para no hablar de esto, de la borrachera con que el hijo de mi padre inició esta justa. Ya que el primer juez en el que pensó Espósito fue su padre. En cuanto a Mara, tan alta, tan educada en el Mallinckrodt, sin cosquillas y sin lágrimas... y alguien le pegó y Espósito repentinamente supo que estaba a punto de hacerse matar sólo por Mara, por demostrarle algo a Mara, esto es una especie de acto de amor espantoso, pensó intentando otra vez ponerse de pie y volvió a resbalar hacia adelante, de modo que quedó en cuatro patas, en actitud perruna, mientras sentía que varios taxistas le pateaban las costillas y los riñones, y veía una luz enceguecedora, producida por una patada que alguien le dio en plena cara y que, por alguna ley física, misteriosa pero no ajena a toda conjetura, lo dejó limpiamente en pie. Oyó voces policiales, órdenes. Vio dos patrulleros. Vio al taxista sostenido por dos vigilantes. No sólo no estaba muerto sino que reclamaba a gritos su dinero.

—Querían matarlo —decía una mujer señalando a Espósito—. Le pegaban entre todos.

—No es nada —dijo Espósito—. Dónde está mi portafolio. Es negro.

—Va a tener que acompañarnos —dijo un oficial.

Debían de haber pasado algunas cosas más de las que Espósito pudo registrar. Y algo más de tiempo.

—Lo iban a matar —decía la mujer.

—Mi portafolio, por favor.

—Suba al auto —dijo violentamente el oficial.

Dos policías, sin mucha consideración, lo aferraron por encima del codo señalándole el patrullero. Grave error, pensó Espósito. Y vio de pronto que le faltaba un zapato. No sólo el zapato, también la media. Sin moverse, sin dignarse mirar a nadie, casi sin abrir los labios, repitió secamente:

—Mi portafolio.

Entonces, sí, de un empujón lo arrojaron dentro del coche. Voló y fue a dar de cara contra el asiento, antes creyó sentir, humillante y exacto, un último puntapié.

Fiat voluntas tuas...

—Venite un rato con mami —oyó.

A su lado, en un banco de la plaza Las Heras, una considerable puta lo miraba como la Giganta a Baudelaire.

—No es nuestra noche nupcial, hermana.

—Un piantado —dijo la puta.

—Perdí toda la plata en una tómbola de caridad. Sin contar que mi mamá quería que yo cantara en el coro de la Sixtina.

Mansa y nocturna como una pantera gordinflona, la puta se abanicaba con un pedazo de diario. Dijo:

—Voz finita no tenés —lo que denota una cierta cultura musical y bastante sentido del humor, pensó Espósito, y sólo pensar en algo le causó temblores. —Dale roñoso —decía la puta desganadamente—. Llevame a algún lugar con aire acondicionado, aunque más no sea con ventilador. Quién te puso así. Qué te pasó. Te atropellaron todos los colectivos de la línea 60. Te llevo a upa, vení. Por media tarifa te pongo compresas. Dame un faso.

Espósito le dio el que estaba fumando.

—Terminalo vos.

—Qué pasó. Te afanaron.

—Se llama El Barrilito —dijo Espósito con secreta e incongruente lógica—. Fui a Villa Crespo. Fui a dar una conferencia —y por el momento era lo único que recordaba.

—Se ve que les gustó —dijo la puta—. Este cigarrillo está todo mojado, corazón, vos sos medio asqueroso.

—Conocí a un hombre que tenía los ojos de plata. Lo demás no lo tengo muy claro. Hubo un malentendido. Una pelea. Estuve preso.

—Los ojos de plata. A que te peleaste con un taxista —dijo la puta, y antes de que Espósito tuviera tiempo de reaccionar, siguió hablando—. Todos los taxistas son unos repulsivos. Y la mitad son canas. Sabés una cosa, Ray Milland, antes de irme a la cama con un taxista prefiero encamarme con un chancho. Venite conmigo, dale. No me interpretés mal.

—Interpretar —dijo Espósito—. Interpretar qué.

—Olvídalo, cariño —suspiró la puta—. Che, no te estarás muriendo, ¿no? Si seguís temblando de esa manera te vas a desnucar contra el banco. Llevame a tomar un refresco. Y de paso te mandás una ginebra. Se te pasa, en serio. Mis viejos temblaban así. Una ginebra y santo remedio.

—Temblaban. Los dos temblaban.

—Y qué querés, que todavía tiemblen. Se murieron. Claro que se hubieran muerto igual. Quiero decir que papá, una noche, le prendió fuego a todo. Se achicharraron los dos ahí adentro. Una de esas casillas de cartón y lata, te imaginás. Casi incendia todo el barrio. Igual les quedaba poco, no había más que verlos temblar. ¿Sabés lo raro? Yo creo que eran felices. Pero lo que es a mí, no me das vino ni con jeringa. Prefiero acostarme con un chancho. No me hagás hablar de los viejos. Serían felices ellos, pero a nosotras nos daban cada marimba. Sin contar la más chica que vino al mundo tarada. Yo salí normal porque Dios es grande. Pero mirá lo que estamos conversando con la noche que hace, primor. Llevame a bailar.

—Dame un cigarrillo, por favor.

—Vos sí que estás colifato. Te acabo de aceptar medio faso todo baboso y me pedís a mí. Qué me mirás.

—No estaba baboso. Sería sangre.

—Cómo te gusta conversar porquerías. No serás uno

de esos medio mugres vos. Un perverso. Por dos lucas me hacés todo lo que te guste. Menos fajarme. Desde que perdí a mi padre, ningún roñoso me pone la mano encima. Enfrente hay un quiosco. Dame plata y te compro un atado. Qué marca fumás.

—Cualquiera —sin el menor esfuerzo por disimular sus temblores, Espósito, un poco desesperadamente, buscó en sus bolsillos; acababa de conseguir algo extraordinario: transformar la imposibilidad de beber en la necesidad impostergable de fumar. No encontró un centavo. Buscó en su portafolio. Tocó allá en el fondo la corbata de Beatriz. Tocó el frasquito de anfetaminas. Vio su gran cuaderno cuadriculado y tuvo la certeza de que era la última vez que lo veía. Entonces es cierto, pensó. Entonces voy a matarme. Encontró por fin dos billetes arrugados—. Fijate cuánto es.

—Esto no nos alcanza ni para forros, *darling*. Tan mal andás. A ver, dejala mirar a mami. Me llamo Teodora —dijo la puta mientras volcaba el contenido del portafolio sobre el banco y, una a una, volvía a poner todas las cosas dentro—, no sé por qué te lo digo. Nadie lo sabe. Teodora quiere decir regalo de Dios. Vamos a hacer una cosa, yo pongo la mitad y vos la otra mitad. Ahí enfrente el turco me los vende sueltos. Pero menos de diez no vende. Todos los turcos son unos mugrientos. Antes de acostarme con un turco —y comenzó a buscar en su monedero—. Nos alcanza —dijo—. Para diez nos alcanza. Por qué no te casás conmigo, sultán. Nos casamos y nos vamos de viaje a Europa. Vida de mierda —dijo poniéndose de pie—. Esperame. No te me esfumes, a ver si creo que fuiste un sueño.

Espósito la mira caminar lentamente por la plaza en dirección al quiosco de la calle Las Heras.

Como una sucesión de relámpagos, creyó recordar todo. Tengo orden de no servirlo, señor. El Barrilito. El hombre de los ojos de plata: esto era lo que recordaba mejor. Hubiera podido repetir su historia palabra por palabra. La cara de una viejita. La señorita Glicere, el gordo del chaleco. La cúpula de zafiro de la iglesia ortodoxa. Y después un túnel, un pasadizo (pero también hubo un papelito, un bolso grandioso, una mano de niña, médanos) que desembocaba directamente en una cara semejante a un gran zapallo calado. Recordó que él había querido matar a ese hombre y sintió que le picaba todo el cuerpo. Una picazón genuina, no pulgas ilusorias sino pulgas reales. Grandes pulgas del calabozo de la comisaría 21ª, tan reales como este vago olor a vómito en su mano, porque también recordó haber resbalado en la oscuridad del calabozo, y apoyó la mano en algo inmundo y blando, una cara, y gritó como casi grita ahora en el banco de la plaza. Y Espósito tomó una decisión. Una decisión helada y lúcida cuyo cumplimiento exigía, antes, un mínimo de voluntad (no pensó voluntad; pensó— pasión), y se tragó de golpe las tres cápsulas de anfetaminas que le quedaban en el frasquito. Porque se fumaba un cigarrillo, cruzaba la calle y se hacía atropellar por el primer ómnibus que pasara. Era perfecto. Liquidaba de un golpe, sin metáfora alguna, de un solo golpe, el problema de la muerte y de los hematomas y tumefacciones. Nadie se fija, en un caso así, si un cadáver no está intacto, cosa que lo venía preocupando más o menos desde que recibió aquella patada en la cara. No pensaba cortarse las venas ni meter la cabeza en el horno. No tenía revólver. Ni veneno. No le parecía correcto dejarse caer en el patio de doña Margarita, en la planta baja. Sin contar que dos pisos no garantizan nada.

—Pero por qué no se apura un poco esta mujer —dijo en voz alta y se puso enérgicamente de pie. Miró en dirección a Las Heras. Vio, cerrado, el quiosco que un momento atrás estaba abierto. No vio por ninguna parte a Doris, regalo de Dios—. Pero ya es casi de día —dijo, y, sin saber por qué, comenzó a reírse suavemente.

Espósito oyó las campanas de San Agustín.

De acuerdo, la mujer no se veía por ninguna parte. Y no porque no hubiese existido, no; sino porque la vida era prodigiosa, fantástica e inagotable. Siempre podía ocurrir algo peor. La mujer sencillamente se había ido con sus dos últimos billetes ínfimos y arrugados, y eso, como sabía el hombre de los ojos de plata, era parte del secreto de la vida. La mujer lo había dejado solo en esa plaza después de fumarle su último medio cigarrillo y, para admitirlo de una vez, miserablemente lo había robado, pero sobre todo, ¿cómo decirlo sin mentir?, había realizado dos actos portentosos y antagónicos, lo había estafado, lo había traicionado hasta el límite mismo de la vida, y lo había arrancado de la muerte. Era tan irresistiblemente sórdido. Esteban Espósito sintió que eran sus carcajadas, no una nueva revolución de la Tierra alrededor del Sol, no otro amanecer, las que hacían llover oro a torrentes sobre la plaza. No iba a matarse tampoco hoy. No iba a matarse nunca. Siempre puede suceder algo peor: era cierto. Valía la pena vivir para ver eso. Se puso los anteojos negros, se levantó todo lo que pudo la solapa del saco. Ahora sólo necesitaba una cama, un poco de oscuridad y varios litros de agua. El corazón se le saltaba del pecho al caminar.

Ahí va, de regreso a casa, con una sola media, abrazado a su portafolio, ahogado por la tos, las carcajadas y las lágrimas.

El Cuestionario

1. ¿Es la bebida causa de ausencia en su trabajo?
2. ¿Hace desgraciada a su familia el hecho de beber?
3. ¿Bebe usted porque se siente a disgusto con la gente?
4. ¿Bebe hasta el punto de afectar su reputación?
5. ¿Ha experimentado alguna vez remordimientos después de haber bebido?

6. ¿Ha experimentado dificultades financieras por el hecho de haber bebido?
7. Cuando bebe, ¿frecuenta malas compañías o un ambiente de condición inferior?
8. ¿Se olvida del bienestar de su familia cuando bebe?
9. Desde que bebe, ¿carece usted de ambición?
10. ¿Se siente obsesionado por el deseo de beber a ciertos momentos del día?
11. ¿Desea usted tomarse una copa a la mañana siguiente?
12. ¿Tiene dificultad para dormir después de haber bebido?
13. ¿Han disminuido sus aptitudes desde que bebe?
14. ¿Compromete la bebida su posición o su negocio?
15. ¿Bebe usted para eludir las preocupaciones o las molestias?
16. ¿Bebe usted a solas?
17. ¿Ha sufrido amnesia a causa de la bebida?
18. ¿Le ha tratado su médico contra el alcoholismo?
19. ¿Bebe usted para reafirmar la confianza en sí mismo?
20. ¿Ha estado internado en un hospital o en una institución a causa del alcoholismo?

Si ha contestado afirmativamente a una de estas preguntas, quizá sea usted alcohólico.

Si ha contestado afirmativamente a dos de estas preguntas, hay grandes posibilidades de que sea usted alcohólico.

Si ha contestado afirmativamente a tres o más preguntas, es indudablemente un alcohólico.

(Cuestionario utilizado por el hospital de la Universidad de John Hopkins, Baltimore.)

De la Agenda cuadriculada:

...algunos exiemplos, La novela del Rey Marcos e ıseo la rubia, de Chrétien de Troyes, y un códice muy desconcertante que no hablaba de ningún Periquito Sarmiento como él había creído siempre, que no era la vida de un valiente niño patriota sanjuanino, una especie de tamborcito de Tacuarí, sino que se trataba de una obra grave, en el sentido jasperiano, grave aunque reidera, origen de la picaresca mexicana (no te puedo creer, te lo juro, pero cómo es posible un mexicano picaresco con tanta calavera y tanta momia oaxaqueña y tanto corazón tolteca arrancado y humeante, ufa yo qué sé) histórico mamotreto intitulado *El periquillo sarniento,* el pequeño perico, entendés decía la Sirenita, como quien dice la cotorra con sarna, el lorito escrofuloso, sarniento y no Sarmiento, qué lindo título decía él, en fin, que ella le leía muchas lecturas y le explicaba Grandes Arcanos y en esto, como en su frente, se parecía a Ligeia...

"Ellos" o el Panteón

...acá va texto de *Le beffroi ardent* que pienso utilizar en cuanto esté sobrio; es lo único que, hasta hoy, he podido hallar sobre "el accidente" de Lowry. No encuentro mi diccionario de francés, ni, por decirlo así, encuentro mi francés. "*A l'issue* (¿qué significa esto?) de una reunión de amigos yo fui al baño. *Malcolm se tenait en face du miroir* (¿se miraba en el espejo?). La sangre le *jaillissait* (¿chorreaba?) de la nariz; él la recogía en sus manos y la lanzaba contra las paredes, *au plafond* (?)...; todo el cuarto estaba rojo. En camiseta, con los ojos fijos en su imagen, *il soufflait des boulles et se moquait de lui-même* (por favor, ¿puede ser lo que yo entiendo?). Al día siguiente, Margerie anuncia a los amigos que él tiene tuberculosis, *bien entendu.* (¿Es irónico?). Ella lo había sabido siempre... Malcolm estaba tan enfermo al llegar a Londres que se le aconsejó una lobotomía", etcétera, y después, ya en casa de Mrs. Mason: "Ellos bebían siempre bitter, bastante bitter. Una vez él compró en el pub *Yew Tree* una botella de gin. Nunca lo había hecho. Ella estaba muy alarmada, y él se esforzaba *de la rassurer* (¿afeitarla? ¿a Margerie?) diciéndole que todo iría bien, Margerie ha llorado (no es para menos), luego, en su cottage, tiró la botella de gin contra *la cloison* (?) y corrió a lo de la señora Mason". Dice la señora Mason: *"Ils durent se disputer car Margerie me dit* (¿que disputaron fiero pues Margarita le dijo?): —Tengo miedo. ¿Puedo dormir aquí? A la mañana, ella, Margerie, ha dicho: —Y bien. Es necesario que yo vuelva y que le prepare una taza de té al pobre Malcolm; pero estoy decidida a ir a Liverpool para ver si puedo obtener una *procuration dont je le menacerai* (¿un poder legal?, ¿amenazarlo? cuando él tenga uno de esos ataques aterradores. (Nota Bene: qué joyita, ¿o prejuzgo?). Ella salió, dice Mrs. Mason, pero al cabo de cinco minutos estaba de nuevo en casa: —¡Oh Winnie! Malcolm ha partido. —¿Para dónde? ¿Para Liverpool? —No. Él está muerto."

"Tous les cachets (¿frascos?, ¿envases de qué tipo?) de somníferos de Margerie habían desaparecido. El veredicto del forense fue: Muerte por accidente". *(Death by misadventure,* diría el Cónsul...)

5
De cómo vino el miedo

Lo del cepillo de dientes, entonces, había sido un aviso, quizás una broma, una metáfora siniestra. Como aquello del mamboretá, en Córdoba; ya que el mamboretá estaba ahí y también fue visto por Santiago, o mejor, Santiago vio algo, una especie de mántido, según dijo, una langosta. Lo cual dotaba de una cierta consistencia a la cosa, y, a menos que una alucinación pudiera ser compartida, le quitaba gran parte de su seriedad. Y aunque éste no era precisamente el momento de verificar si anotaba ciertas epifanías, de pronto le hubiese gustado releer no sólo su famoso cuaderno cuadriculado sino las tres carpetas que debían estar en alguna parte, a no ser, pensó, que las haya quemado, a no ser que las carpetas, el cuaderno, Córdoba, la muerte de Santiago, Beatriz, Mara, pertenecieran al mismo universo de objetos al que, sin duda, pertenecía eso que *ahora* estaba viendo Esteban Espósito, treinta y siete años cumplidos, alcohólico crónico, que sí lee pero no no no escribe, profesión boludito de la Luna. Y entonces gritó. El grito lo tomó por sorpresa, una especie de *aaajjj-aaay* mezclado con un sonido ronco e imbécil, una risa gutural e incrédula, hecha de baba y espanto, y se encontró sentado en el piso, en medio de la habitación. Ayudándose con las manos reculó, sentado, hacia la pared mientras su cuerpo temblaba de un modo tan convulsivo que sentía crujir no sólo las articulaciones dentro de la carne, sino los tendones y los músculos, como si él mismo fuese su propia trituradora. Cerró los ojos y volvió a abrirlos de inmediato, sin apartarlos del borde de la máquina de coser. Ahí, junto al imán de tía, sobre la caja de hilos. No había que apartar los ojos. En cuanto lo hiciera, eso no estaría más bajo su control. Aunque tomado por sorpresa, Espósito todavía conservaba su astucia. Una luz, zigzagueante, un relámpago que nació en el costado de su ojo izquierdo y se propagó por el piso ya no pudo sobresaltarlo, no era nuevo, lo nuevo fue el sonido chirriante con que la centella desapareció bajo el sillón, de modo que casi deja de mirar la máquina de coser pero se controló a tiempo. El cepillo de dientes, bien. Incluso el aguaviva. Un aguaviva al borde de su cama, hacía unos meses —pero en el entresueño, no despierto, no absolutamente despierto y con todas las luces encendidas como ahora—, algo como una aguaviva cuya constitución gelatinosa pudo sentir en la palma de su mano antes de despertarse (estaba gritando otra vez ahora, estaba gritando con los ojos muy abiertos fijos en el borde de la máquina de coser, los vecinos iban a oírlo, Mara, pensó, Padre nuestro que estás en los cielos, pensó, *Ave María gratia plena dominus tecum*, y se oyó gritar otra vez, oyó gritar hijo de puta y se calló de golpe), aquello, ¿por dónde iba?, la flema rosada del aguaviva, por repugnante e irreal que fuera, tenía la cualidad de estar ahí. Como la luz de hace un momento, una vieja conocida. Como las cerdas del cepillo de dientes. O al menos, para Esteban habían estado. La diferencia con esto, *con eso*, pensaba con la espalda apoyada en la pared y los ojos muy abiertos, es que yo sé perfectamente que esa cosa no está ahí. Como también sabía que si apartaba un segundo los ojos, si dejaba de vigilarlo, aquello se multiplicaría en el acto; donde fueran sus ojos aparecería uno de ésos, cientos, como ése o de cualquier otra especie, y lo paradojal (gritando obscenidades para darse ánimo se puso de pie, sin apartar los ojos de la máquina de coser, sin saber que se ponía de pie, sin saber que gritaba), y lo paradojal, continuó pensando, sólo que ahora en voz alta, y su voz era serena, grave y casi irónica, lo paradojal es que, aun sabiendo perfectamente que no está, no queremos, ni debemos, ni remotamente pensamos estirar la mano. Esteban, como hipnotizado, se inclinó y acercó la cara. Era más bien grande. Algo que fuera al mismo tiempo otra cosa. Durante unos segundos los dos se quedaron muy quietos, agazapados, acechándose con odio y repulsión.

—¡Voy a describirte, hijo de puta! —dijo de pronto Esteban. Y la cosa se replegó sobre sí misma, blandamente; cambió de posición con lentitud y lo miró de costado—. Eso es lo que voy a hacer. Sin que se me mueva un pelo. —Pero estaba temblando otra vez. Y, sin embargo, aunque parezca extraño, el animal no tenía, en sí mismo, nada de particularmente espantoso. Era sólo repugnante. Un alguacil más o menos injertado en el cuerpo de un gusano, lo que le daba un aspecto ambiguo, indeciso, de cosa inventada. Y Esteban dejó de temblar. Absolutamente inofensivo, decidió. Y tuvo la curiosa sospecha de que el pobre animal estaba aterrado. Las cortas alas vibrátiles emitían un suavísimo rumor.— Tres pares de alas —dijo Esteban—. Que no pueden permitirle volar, ni saltar. No con ese corpachón. Ninguna pata. Me muero de risa —dijo Esteban.

Y el monstruo se revolvió, agitó con desesperación las alitas, intentó vanamente segregar un seudópodo y, *plop*, desapareció.

Sobre la tapa de la caja sólo quedó una inquietante mancha rosada. Quedó o siempre había estado allí, y, en tal caso, no tenía nada de inquietante; pero, inquietante o no, por el momento carecía de importancia. Lo fundamental era aprovechar la tregua. Porque Esteban supo que esto era sólo una tregua. O una trampa. Lo peor estaba por suceder, cuchicheaba en los rincones y reagrupaba sus fuerzas, lo acechaba desde el pliegue de las cortinas, en ese lamparón de humedad del cielo raso, en cualquier grieta de la pared. O en las sobras de su última comida de dos días atrás, sobre todo ahí, pensó, al ver la inmundicia de los platos sobre la mesa, los restos de pan, las botellas vacías. ¡Vacías! Todas. Y más vacía que ninguna la de Ballantine, ya que, contra toda lógica, el vacío de una botella de litro tiene grados. Sesenta ausentes grados de malta escocesa destilados y envasados en su origen, no dejan en el estómago, en el corazón, en la cabeza, el mismo hueco que un litro de moscato. Por más que Esteban, ahora, hubiese recibido como la sangre misma del Señor no ya moscato sino hesperidina, Licor de las Hermanas o incluso vino de misa consagrado, que viene a ser, y ya estoy pensando en círculo, pensó, la sangre misma del Señor. Pero si yo nunca tomé ese whisky, si justamente lo tenía reservado para cuando pasara esto. No, no para cuando pasara esto. Porque esto que estaba pasando no era simplemente el día en que ya no se puede bajar las escaleras para ir siquiera hasta el almacén, el día entre los días del alcohólico, la mañana fatídica y más temida en que se acabó el dinero, o las fuerzas, o el crédito, pero sobre todo las fuerzas, ya que la experiencia le demostraba que, aun sin dinero, aun sin crédito, aun en domingo y hasta en el horrendo Yom Kippur de Don Birnam, él era capaz de convencer a cualquier almacenero, *maître* de hotel, barman o incluso policía para que le agenciara, le vendiera, le fiara, le prestara o le regalara una botella de cualquier bebida alcohólica. Y sin necesidad de empeñar ninguna máquina de escribir, sólo mirándolo. Pero no, hoy, 11 de octubre de 1972, no era ni siquiera la espantosa mañana siguiente en que se acabó la bebida y comienzan los calambres, las voces dentro de la cabeza al segundo de cerrar los ojos, la orina que hiede a acetona, el corazón que bombea hasta que los oídos estallan, o palpita tan tenuemente que es como deslizarse por una escalera afelpada hacia la muerte, no, esto estaba sucediendo de noche y hoy era El Día. Y se vio a sí mismo, la noche anterior, volcando en la pileta de la cocina de la casa de tía (porque debía recordar también esto, el lugar donde estaba, aunque no supiera por qué debía recordarlo), derramando en el innoble agujero de la pileta hasta la última gota de su última botella, movido por vaya a saber Dios cuál designio, que, en aquel momento de absoluta imbecilidad y locura, debió de parecerle muy claro, o simbólico y lleno de sentido, pero que ahora, frente al espejo del living lo hacía mirarse como a un hermano loco y asesino al que decidió partirle una botella en la cabeza pero se contuvo, por dos razones. Es un plagio. Y para peor, un plagio de sí mismo. La otra razón era precisamente que se trataba del espejo del living de la casa de tía. El espejo sólo le permitía ver su cara, pálida como de yeso, y la parte superior de su camisa. Por fortuna, pues, entre las muchas cosas que Esteban Espósito ignoraba, ignoraba que estuviese en calzoncillos. Las ojeras le comían los ojos y, a juzgar por la barba, debía de hacer una semana que no se afeitaba. Eso que estaba viendo no era la cara de un borracho. Tal vez fuera una expresión de deseos, un modo paradojal de la autocomplacencia, pero parecía la cara de un demente. Qué hubiese pensado de esa cara el abstemio poeta de diecisiete años, que veinte años atrás leyendo *The lost week-end*, de Charles Jackson, y leyendo una escena idéntica a ésta, bebió un traguito de oporto y se miró en este mismo espejo para ver si él también, con el tiempo, llegaría a ser bello y atormentado y maldito. Esteban Espósito no estaba muy seguro de que esta cara, degradada y casi muerta, le hubiese conformado. Y sin embargo, quién sabe. O no solía ponerse talco después de afeitarse para que el aire cadavérico de su piel contrastara con el largo pelo renegrido (como ala de cuervo, en efecto) que un casual golpe de peine hacía caer sobre su alta, pensativa frente. ¿Todos los adolescentes eran así? ¿Así, cómo? Nauseabundos. O quizá conmovedores, pero más que nada algo maricones y narcisistas. No todos, él y una sucia cáfila como él, o como ese criminal de Jackson y toda su inmunda y corruptora cría. Y por qué está tan enojado, si se puede saber. Porque pensó que sin ese libro, sin libros como ése, sin esos corruptores héroes al revés, sin tanto loco, amoral, parricida, cínico, endemoniado o castrado como pudren el alma a los adolescentes, el adolescente que él fue nunca hubiera llegado a este espejo. Pero, qué estaba diciendo. ¿Pensaba en serio lo que estaba diciendo? Los ojos se le habían llenado de lágrimas. *Por supuesto que lo pensaba.* Menos mal que en ese preciso instante sintió un escozor y, al rascarse, comprobó no sólo que estaba en calzoncillos, sino que tenía la bragueta en el culo.

Necesitaba calmarse y razonar. Echó una mirada a la botella de whisky casi con la esperanza de que, también en este caso, sus sentidos lo hubieran engañado. Tan vacía como su cabeza, ahí estaba, en la plenitud de su estupidez, con ese aire de absoluta injustificación, de sobra, que tienen siempre los envases vacíos, las latas, las botellas, sobre todo las botellas; con el agravante de que las botellas, al menos para Esteban, al menos en días como hoy, causaban también un insoportable efecto de desolación, de cosa incompleta, como el que produce un guante abandonado. No dos, pensó. Un solo guante, sin su mano y sin su par. O esos enigmáticos zapatos sin compañero que uno sólo descubre de noche y que, por alguna nocturna razón incomprensible, casi siempre son de mujer, idea que volvió a ponerlo al borde del llanto, pobrecitas Dios mío qué les harán y por dónde andará Teodora en una noche como ésta, y quién era Teodora y por qué lloraba, si lo que realmente sentía es que un zapato, un solo zapato abandonado en la noche, un zapato de mujer, si está de pie, es casi un objeto de horror puro. Un zapato de mujer, de pie en la tiniebla de una vereda desierta. Y lo estremeció un escalofrío. O sea, pensó, que estoy pasando de un estado de ánimo a otro con demasiada rapidez. Cuánto tiempo podían soportar los nervios, el corazón, las infinitamente pequeñas y delicadas luminarias cerebrales, estos saltos y caídas. Lo que debía hacer es pensar, y sobre todo recordar algo. No sentir. Y mucho menos llorar, canturreó. Los vejetes lloran. Lo que Esteban Espósito necesita, está diciendo ahora en el baño, donde encontró los pantalones y se duchó con la camisa y los calzoncillos puestos, e intentó cantar algo, lo que Esteban Espósito necesita, decía ahora al borde del agotamiento, es no agotarse, el agotamiento sólo los beneficia a ellos. ¿Lo he leído? No lo he leído, lo sé. Aguaviva, aguavivita, por qué tienes ese cutis tan flemático.

—Para asustarte mejor —dijo Esteban con voz gorgoteante, y, aunque sonreía, oyó salir de su garganta un sonido tan pantanoso que se asustó realmente, todo esto mientras luchaba, mojado y tembloroso, por ponerse los pantalones—. Humor sin exageraciones, se entiende, el humor de la serenidad, pantalón de mierda, cómo puede ser que un pantalón tenga una sola pierna. Vuelvo a sacármelo con calma. Y aprovecho para sincronizar mi calzoncillo. —Cosa que renunció a hacer, sin intentarlo siquiera, ya que el esfuerzo lo dejó sin aliento. Se sentó sobre la tapa del inodoro para aplacar los latidos de su corazón. Cerró los ojos, aunque sabía que era inútil. No sólo inútil, era peor. Seguía viendo, a través de los párpados, la llave de paso del agua caliente, la manija del calefón, los azulejos ocres. *Orbis*. Oyó un inexistente trozo para piano de un concierto que podría haber escrito Bartok, sombríos mazazos isócronos, escuchó con nitidez la palabra isócrono, isócrono, y una voz agudísima que gritó: ¡Al isócrono golpe de las picas! Nada de esto era alarmante; con abrir los ojos volverían las imágenes y los sonidos reales. Pero no quería abrirlos: en el centro de un hueco negro vio un objeto vivo, rojo, bombeando locamente. Su corazón. Qué experiencia formidable poder registrar científicamente lo que estaba ocurriendo. Y abrió los ojos y dio un salto. —Sí señor —dijo con voz alta—. Se trata de algo así, necesito establecer algún parámetro. —Y se quedó rígido en el centro del living, al que había llegado sin saber cómo.— ¿Establecer qué? —preguntó de pronto hacia el baño, como si hablara con otro Esteban Espósito que aún no hubiera salido de allí—. Parámetro. Yo no pude haber dicho eso, no es una palabra mía. No es mi manera de razonar. Ni siquiera sé qué es, ni qué mide un parámetro... ¡Termómetro! —Porque si éste era el día del colapso, la noche, puesto que debía suceder de noche, el síndrome de abstinencia y ¿por qué no? el umbral de la locura, acaso el fin, él, Esteban Espósito, estaba preparado para demostrar algo.

Hacía meses, quizás un año, lo había dispuesto todo. No recordaba qué había dispuesto, ni qué quería demostrar, pero aquello, lo que fuera, requería entre otras cosas un termómetro.

Estaba seguro de no tener fiebre, como también estaba seguro de esto: y estiró las dos manos. Ningún temblor en la punta de los dedos. Los voy a joder a todos, pensó. Porque se trataba de algo así. Con mucho cuidado buscó el termómetro en el cajón donde tía guardaba los remedios, con mucho cuidado porque, de ahora en adelante, no podía permitirse brusquedades, distracciones o roturas. Yo les voy a enseñar cómo es realmente esta fiesta. Y estaba tan ansioso y transpirado que al ponerse el termómetro bajo la axila estuvo a punto de dejarlo caer. Se sentó en su sillón, un sillón cama forrado en tela a rayas blancas y rojas, el sillón en que, en ese mismo living, había dormido desde los dieciocho hasta casi los treinta años, en el que había hecho unas cuantas cosas más que dormir, sobre todo en ausencia de tía, en que había leído los tres o cuatro libros más hermosos del mundo, en que había soñado despierto los libros que él mismo escribiría para que un muchacho de otro siglo supiera que había tenido un hermano en el tiempo, tan solitario como él, para que una adolescente futura conociera el amor antes de conocer a un hombre. O los otros libros, los que lanzarían a los pobres de la tierra al incendio y a la dinamita, por hablar sólo de libros y no de cuadros, un cuadro sobre todo, una crucifixión no imaginada por nadie, el momento en que a Jesús yacente le clavan las muñecas a la cruz y la cara de Jesús, vuelta hacia acá, con la boca abierta en un grito de dolor incontenible y pavorosamente humano, un grito de espanto, un grito de tan espantosa debilidad que Esteban, sin atreverse a mostrarlo, destruiría por blasfemo y no tendría más remedio que suicidarse. Claro que, sentado en ese sillón, no alcanzó a pensar ninguna de estas cosas. Sencillamente pensó: Nunca debí moverme de esta casa. Y sintió que, desde un ángulo de la habitación, lo estaba mirando una mujer sin cabeza. No es cierto, imbécil. Es el maniquí. Es el maniquí de tía y, por si fuera poco, lo sé perfectamente. Lo que no sabía era cuánto tiempo podía quedarse allí sentado, esperando, sin ponerse a gritar por cualquier otra razón o rodar por el piso. Debía de llevar más de medio minuto quieto, tan quieto que era casi imposible que no le sobreviniera algún espasmo que le anudara simultáneamente todos los músculos, lo cual sería el fin del termómetro y de la prueba de la fiebre. Y a propósito, cuánto hace falta para que un termómetro cumpla su función de medir la temperatura. Un minuto y medio o dos. ¿Tres? ¿O tres minutos es para los huevos pasados por agua? La instantánea imagen de una masa viscosa, blanca y amarilla, fetal, de huevo macerado, le causó una arcada tan violenta que casi corre otra vez hacia el baño. No. No iba a vomitar; desde por lo menos una docena de años atrás el alcohol ya no lo hacía vomitar. Los borrachines vomitan, pensó. Yo soy un elegido del Señor, yo soy un alcohólico en su fase literalmente comatosa. Una manera irrefutable de medir la fiebre: dejarse el termómetro todo el tiempo posible. La columna de mercurio sube hasta el nivel de la temperatura y allí se queda. Lo que cuenta es el calor, no el tiempo. A esto le llamo yo, señores, un razonamiento lógico.

¡El grabador!

Y por fin supo qué era lo que estaba haciendo. En algún lugar de esta casa (en la biblioteca, detrás de los dos gruesos volúmenes de las *Obras en prosa* de Poe, editadas por la Universidad de Puerto Rico), debía haber una cassette, una cinta magnetofónica grabada un año atrás por él mismo, y ésa era la clave de todo. Sólo tenía que ponerla en el grabador y echarla a andar. Allí estaban, con algunas ligeras variantes, las mismas preguntas que, en un caso así, cualquier cretino de guardapolvo blanco le hubiera hecho en el pabellón de alcohólicos de una clínica psiquiátrica. Suponiendo que esa gentuza tuviera la suficiente habilidad como para ponerle las manos encima. Y había otra cinta, igual a ésa, en su propio departamento. También escondida detrás de los libros de Poe, grabada con las mismas palabras. Miró los ladrillones blancos de la biblioteca y por un instante se desorientó. ¿Dónde estaba, realmente? La biblioteca era casi idéntica a una de las bibliotecas de su propia casa, por supuesto: él mismo las había hecho. Pero cómo no se preguntó nunca por qué eran idénticas, por qué esa manía de duplicar, triplicar y, de ser posible, centuplicar la realidad. Casi los mismos libros, y no sólo eso, sino hasta las mismas ediciones. Como vivir dentro de un ojo de mosca, como si habitara el interior de un mundo que tuviese la forma facetada de un diamante. Lo de las cintas, sin embargo, pertenecía al universo de los actos lúcidos, por no decir razonables. Esta casa y su departamento eran los dos únicos lugares en los que, por alguna razón, se sentía a salvo. Y, en ausencia de su tía, ésta era su isla, su Última Thule, la guarida en que se refugiaba como una comadreja cuando sus amigos, sus enemigos, los colectiveros, la policía, las mujeres, los taxistas, los mozos de los bares, la mirada de Mara, lo ponían en cierto tipo de aprietos. Como éste, por ejemplo. De ahí que si algún día ocurría por fin lo que, al parecer, ya estaba ocurriendo, era más que probable que la batalla se librara en la sórdida soledad de su departamento, su bastión, su castillo, o en esta amada casa, su capullo, su parodia de claustro más o menos materno, territorio casi invulnerable por muchas razones, pero sobre todo porque ahí debía dominarse, no romper espejos, deambular por la locura dentro de un precioso y conmovedor laberinto de pastilleros, elefantitos de porcelana, floreros, recuerdos de Mar del Plata, la desamparada tetera de un juego que sólo podía completar la memoria, un chancho alcancía de lomo pintado en círculos verdes, chancho que debió de ser mío, que fue mío, que contuvo monedas laboriosamente extraídas con un cuchillo, ¡Dios santo!, los sagrados géneros de las clientas, parloteantes putas que hablaban de amantes, viajes a Miami, de irresponsables y preñadas negritas del abusivo servicio doméstico, mientras un Esteban sobrio tecleaba en el otro cuarto, sentado en la cama de tía, con la máquina apoyada en una mesita ratona que fue la que seguramente le estragó los riñones, hasta el día en que, oyendo a tía entrar en el baño, salió del dormitorio, abrió la puerta de este living y, encarándose con una espigada y semidesnuda señora de Aissenson le preguntó con su mejor voz si no podía hablar un poco más bajo de sus abortos puesto que él, tabique por medio y así como lo veía, estaba dialogando con los ángeles, confesión que con el tiempo culminó en una cama y quizá en aborto, mientras tía seguía pinchando alfileritos, midiendo sisas, proyectando canesús, y él dejaba paulatinamente de dialogar con los ángeles y de ser sobrio, lo que expresado así parece la consecuencia de algo, pero es meramente una seca enumeración. Motivo por el cual, pensó Esteban, pese a las teteras y a los intocables elefantitos, tal vez el terreno no sea tan propicio como imaginé. Batalla, quién dijo batalla. Qué batalla.

—La mía, carajo —dijo violentamente Esteban de pie en medio del living—. La que se está librando en esta casa, en mi corazón, la que empezó hace horas, hace años, algo formidable y secreto en el que de algún modo está en juego mi alma, mi cabeza, la dignidad humana. Qué estoy diciendo.

Y corrió hacia la biblioteca, arrasó, contra todo lo que se había propuesto, una fila entera de libros y vio por fin la cassette. Y estiró la mano y, sin llegar a tocarla, gritó.

Todavía gritaba cuando su nuca pegó de lleno contra la pared opuesta del cuarto, unos tres metros atrás, gritaba sin poder apartar los ojos de una inmunda mariposa negra, patas arriba, de pesadas alas como cartílagos del grosor de un dedo, uno de esos insectos del tamaño de un pájaro que se denominan mariposas murciélago. Derramada blandamente sobre el estante, de espaldas, agitaba con rítmica lentitud sus patitas, seis patitas negras, como un boxeador que hace la bicicleta. En la pared opuesta, Esteban alcanzó a sacarse el termómetro de la axila, concentró toda su atención en la brillante columna de mercurio, vio que marcaba treinta y seis grados exactos y, antes de perder el sentido, volvió a mirar con odio a la mariposa, que ahora también lo miraba, con indolencia. La mariposa dijo, con un algodonoso susurro: "Nombre y apellido, por favor".

—Apellido y nombre —decía secamente desde el grabador, veinte minutos después, una voz grave, algo autoritaria y acaso vagamente irónica: la voz grabada de Esteban Espósito. Antes había dicho: —Probando, probando.—

Y, después de un silencio: —Colocar el potenciómetro en el nivel seis. Empezamos en cualquier momento.— E hizo una pausa tan prolongada que Esteban, muy atento frente al grabador, pensó si la cinta no se habría borrado. Después, como por sorpresa, soltó secamente la primera pregunta, que no era en realidad una pregunta sino una especie de orden, muy típico de él, pensó Esteban. De inmediato contestó:

—Esteban Espósito.— Le dolía la base del occipital como si le hubieran pegado un martillazo; sin embargo, se sentía mucho mejor que antes del golpe, más sereno y despejado. Si hubiera podido verse de atrás, habría comprendido por qué: una larga mancha de sangre le empapaba la camisa desde el cuello a la cintura —¡No!— dijo de pronto, mientras su voz, en el grabador, comenzaba a hablar nuevamente—. La respuesta correcta es Espósito Esteban.— No iba a dejarse engañar por la sigilosa trampa que implicaba el orden en que había sido formulada la pregunta.

...es hoy— dijo su voz en el grabador.

—¿Qué? ¿Qué cosa es hoy?

Detuvo el aparato, se pasó la mano por la nuca y se miró con objetividad la mano. Era hoy, sí. Sólo que él no podía haber grabado semejante amenaza. Sí podía, por supuesto; pero, conociendo su carácter, no podía. En cuanto ese grabador se pusiera demasiado sarcástico lo tiraba por la ventana al medio de la calle. Odiaba ciertos matices de su voz y, si sabía ahora que los odiaba, también debió saberlo un año atrás. —¿Estamos? —murmuró mirando fijamente el aparato silencioso. Volvió la cinta hacia atrás. Lo extraño, pensó, es que...

—Apellido y nombre —dijo el grabador.

—Eso ya lo contesté —murmuró Esteban. Lo extraño es que esa voz abolía de modo un poco inquietante la noción del tiempo. Como si algo atrasara o adelantara.

—Qué fecha exacta es hoy —dijo el grabador.

—Fecha; ¿pero cómo puedo saber exactamente la fecha? —detuvo otra vez el aparato. No iba a cometer la idiotez de discutir y enfurecerse con una máquina. Esto, por decirlo así, era una prueba científica, no un acto de locura. Y si era un acto de locura, era un acto de locura muy complejo, ya que él había grabado esta cinta *estando sobrio*. Cómo pudo entonces preguntar semejante disparate. En su vida había sabido con exactitud la fecha. El año, por supuesto, siempre y cuando hubiera pasado un tiempo razonable desde el último diciembre, ya que para Esteban el nuevo calendario se fijaba más o menos hacia marzo, para Carnaval, si es que los carnavales caen en marzo. En cuanto a los meses, algunos los veía muy claros, abril y septiembre sobre todo. Y eso porque tenía confundidos los solsticios. Ahora mismo, por ejemplo, sabía que estaba en octubre, pero nadie lo convencería de que no era otoño. Y, en algún sentido, era otoño. Había oído llover, aunque no supiera cuándo. Había visto los adoquines húmedos de la calle Tarija, el plátano desolado de la puerta de su casa.

—Hoy es exactamente 11 de octubre —dijo—. Hace once años, en octubre, viajé a Córdoba y también llovía. O sea que era otoño. Y hace más o menos una semana, sucedió algo en casa de Mara. Y eso sólo pudo suceder en octubre. Y lo que sucedió es que literalmente le desmoroné la casa: ¿Por qué? Nadie va a creerme. Porque descubrí que Mara no tiene cosquillas.— Y Esteban se estaba riendo de tal modo que se cayó del sillón.— Y esa cucaracha es real —dijo de pronto con súbita seriedad.

Estaba viendo, junto a la pata de la mesa, una cucaracha. Sabía sin la menor duda que era real. El animal real más asqueroso que existe, pensó. Sin embargo, dadas las circunstancias, le tomó una especie de cariño.

—Por qué no te vas. Yo sé perfectamente que la técnica de ustedes es quedarse muy quietas, esperando que uno se distraiga. Y entonces se esconden en el primer lugar oscuro que encuentran. Las he estudiado mucho. Deberías irte, la vida es sagrada. Pero yo no puedo permitirme la duda.— Con una celeridad que lo sorprendió a él mismo, la aplastó con la mano contra el piso. Era real, en efecto: no sentir asco le dio miedo.— Debo de estar muy mal —dijo, limpiándose la mano en el pantalón. Y en cuanto a las fechas, no tengo por qué saber ninguna fecha. Ni siquiera sé los puntos cardinales. Ni recuerdo las direcciones. Ni los cumpleaños de la gente.

—*Salvo el tuyo* —oyó.

—Salvo el mío —dijo. Y se puso de pie, y allí se quedó muy quieto, mirando el grabador detenido—. No importa —dijo después—, son las reglas del juego. Adelante, vamos.

Quiso apretar la tecla de avance y apretó el retroceso. Sólo se dio cuenta cuando el aparato se detuvo. Volvió a ponerlo en marcha.

—Apellido y nombre —dijo el grabador.

—Va fangulo —dijo Esteban.

—Qué fecha exacta es hoy.

—11 de octubre, exactamente. Calculo que es sábado.

—Cuánta fiebre.

—Eso es una petición de principio —dijo Esteban—. Ninguna fiebre. Tampoco ningún termómetro. Lo perdí cuando me desmayé.

—Pulso frecuente.

—Sí.

—Temblores generalizados que recuerdan el escalofrío.

—Por supuesto. No sólo hoy —dijo Esteban—. También en tu época...

—No dialogar con el grabador —dijo el grabador. Y no era una ilusión: lo había dicho.— Nos conocemos mucho —dijo el grabador, con una pequeña risita—. Perdón —agregó—. Sigamos. Se supone que las manos deberían temblar.

—No tiemblan. Nunca en mi vida me temblaron las manos.

—¿Alucinaciones?

La pregunta lo tomó por sorpresa. En algún sentido, era gratuita. Mecánicamente acercó la mano a uno de los vasos vacíos que estaban sobre la mesa. Después de un momento, contestó:

—Qué te parece, cholito.

—Hay alucinaciones visuales y auditivas. Espero de todo corazón —dijo su voz en el grabador— que no sean también táctiles.

—Muy amable —dijo Esteban—. Qué tipo tan jodido —agregó en voz muy baja.

—¿Reales o pseudoalucinaciones?

—¿Qué?

—Un momento —dijo la voz. Esteban oyó unos pasos que se alejaban. Se oyó volver, un año atrás. Casi se vio. Con una botella de whisky y un vaso, en una mano, y un gran libro encuadernado en cuerina azul, en la otra. Va a tomar whisky, pensó con odio. Va a leer tranquilamente un libro de psiquiatría mientras juega al manicomio con él mismo y toma whisky. No se da cuenta de que está mucho más loco que yo.— Las alucinaciones son de dos tipos..., es decir, dos clases, no dos sujetos. Las pseudoalucinaciones, que se caracterizan por oírse dentro de la cabeza; y las verdaderas, que se oyen fuera, en el espacio. Algo así como esto, me imagino —decía su voz—, si hacemos abstracción del grabador. La pregunta es ¿de qué tipo?

—De todo tipo. Y aun de nuevo tipo.— Y Esteban se encontró de pronto en la cocina de la casa de su tía. Arrancó de un manotón la cortina de los estantes que hacían las veces de aparador y no pudo dejar de pensar que esto, justamente, era lo que siempre se había jurado no hacer. O sea que no se pierde el sentido crítico. Y tiró abajo casi todo lo que encontró a mano, menos una botella de oporto, que era precisamente lo que buscaba. Con sólo mirarla se serenó: quedaban unos cuatro dedos. Muchísimo, se oyó pensar. Muchísimo, murmuró varias veces.

—...se entiende —decía con inalterable calma su propia voz en el living — que nos estamos refiriendo a las alucinaciones auditivas, ya que, según este interesante manual, las otras no tendrían más remedio que ser siempre verdaderas, si es que el eminente doctor Sturm tiene alguna idea de lo que escribe... ¿Sturm?... —La voz del living hizo una pausa, y Esteban, en la cocina se quedó muy quieto. Sturm. Él conocía ese nombre, de dónde lo conocía. Lo que estaba viendo ahora no era ninguna alucinación, era un recuerdo. Vio una botella gigantesca, de whisky, una de esas formidables botellas de propaganda, vio la cara de un tipo que se parecía a Trotsky, sólo que en versión hijo de puta, vio el interior de una casa, en Rosario. Fisherton. En Rosario había un barrio llamado Fisherton. Le pareció que estaba a punto de recordar algo muy importante cuando su voz lo distrajo.—... *und Drang* —decía su voz—, a menos que sea otra cosa, y no me parece que tenga mucha importancia.— Y Esteban ya tenía el pico de la botella en los labios cuando, por alguna razón, decidió que no quería beber. No así. No del pico de la botella, no sentado en el piso de la cocina. ¿Sentado? Bueno, eso significaba que en algún momento se había caído. Pude haber roto la botella, pensó. Pero no supo que lo había pensado con demasiada indiferencia.— ...el viejo amigo Sturm habla también de alucinaciones complejas —decía su voz en el living—, después veremos de qué se trata. Acá hay algo realmente curioso... —Entre los tarros con calcomanías, vidrios rotos, tazas y frascos desparramados por el piso de la cocina, Esteban encontró finalmente un vaso intacto. Ya tendría tiempo de arreglar todo eso antes de que regresara tía. Suponiendo que sobreviviera. Lo que demostraba que el mero hecho de tener un vaso a mano le había devuelto el sentido del humor, si era lícito llamarlo sentido del humor. Pero no bebió. Se quedó mirando con inquietud el vaso. Qué le estaba pasando. No tenía en absoluto deseos de beber ese oporto. Más bien, todo lo contrario. Sin prestar atención a sus palabras en el grabador, se imaginó allá en su departamento, leyendo aquel libro y con una botella de whisky; una arcada, en la cocina, casi le hace caer el vaso de la mano. ¡Eso era!: una creciente sensación como de repugnancia, algo parecido (o mejor, análogo, ya que no se parecía realmente a nada que Esteban conociera de antemano) a la repulsión instintiva que le causaba siempre el primer trago. Sólo que a éste nadie lo podría llamar primer trago; era el *último*. Era el último, el último a su alcance después de un ciclo que había durado por lo menos un mes. Vale decir que lo necesitaba con toda su alma. ¿Y por qué no podía tomarlo? Con mucho cuidado, pero evitando mirar el vaso, fue poniéndose de pie. Siempre dije, pensó, que el acto de beber es accesorio. En realidad, no lo pensó; se obligó a pensarlo. Como acostarse con una mujer: lo fundamental es la seducción. Lástima que a ellas no les pase lo mismo y uno tenga que andar demostrando todo el tiempo que no es impotente —...fenómeno corriente— decía su voz en el living —es la disminución de la capacidad sexual.— Y Esteban, en la cocina, sospechó que sus ideas se organizaban según aquella voz.— Claro que todo esto ya lo sabemos. ¿Pupilas agrandadas? ¿Reacción a la luz?

—Qué es lo que sabemos —gritó Esteban hacia el living: estaba de pie y apoyaba la espalda contra la pared; en realidad, estaba casi pegado a la pared, como si se escondiera de algo—. Qué es lo que sabemos. Y qué tienen que ver las pupilas, cómo puedo saber cuál es el tamaño real de mis pupilas. Nadie sabe esas cosas.

—...con presencia de albuminuria y glucosuria —decía la voz—, lo que explicaría el asco.

—¡Qué es la glucosuria, animal!

Sólo entonces comprendió que ahora sí estaba aterrorizado, pero aterrorizado por ese vaso, por el asco casi intolerable y absolutamente incompresible que le causaba el contenido de ese vaso. Es oporto, murmuró: es un buen oporto, voy a necesitar tomármelo, Dios mío, necesito tomármelo ya o va a suceder algo terrible. Con mucha lentitud, con infinito cuidado, lo dejó sobre la mesada de la cocina.

—Y a propósito —decía el grabador—, ¿dónde se supone que estamos? Diez segundos para contestar.

—¿Estamos...? Yo estoy en casa de tía. Perfectamente orientado en...

—Suponiendo que la pregunta haya sido contestada, ¿seguro, pero muy seguro del lugar? —Ya lleva por lo menos tres whiskys, pensó Esteban: reconocía perfectamente ese tono de fría perversidad que, cuando estaba así, confundía con hiperlucidez. Era increíble el efecto que le causaba el whisky. Gritó que sí, que estaba absolutamente seguro del lugar, del día, y hasta de la hora.— Sabrás que carece de importancia —dijo el grabador.

Y por qué se esconde.
De quién se esconde.
No fue a la cocina inocentemente.
Seguro que no.
Fue a robar el oporto de tía.
No, mucho peor.
De quién se esconde.
Está escondido.
No, mucho peor.

Esteban abrió los ojos, salió de la cocina y, mientras las voces se perdían en el aire como sonoras burbujas que se desvanecen, entró a tropezones en el living, donde el grabador estaba diciendo o acababa de decir algo referido al tamaño del hígado. Algo tan completamente absurdo, si había oído bien, que por un momento tuvo la sospecha de que se trataba de una ilusión. Contra toda lógica, aquello lo arrancó del pánico que había sentido en la cocina. Intrigado, rebobinó la cinta y esperó.

—...carece de importancia —oyó que repetía su voz, y atónito, siguió escuchando una serie de nociones generales acerca de algo (¿dopamina?) derivado de la morfina que, al parecer, sólo se genera en determinadas circunstancias y en cierto tipo de organismo, el del alcohólico, y de unas misteriosas funciones que cumplen o no cumplen los testículos. Se estaba preguntando a cuántos borrachos les habrían cortado ya los testículos, y si esperarían a que uno muriese para cortárselos, cuando oyó su propia voz entusiasta en el grabador—. No es ningún imbécil este Sturm... Nada de esto, claro, pertenece al cuestionario propiamente dicho, pero, suponiendo que allá estemos en condiciones de razonar, ¿no es fantástico? Uno viene a ser un alambique, una máquina de generar su propio veneno: su propia locura. Lo de la gama del azul también da un poco de miedo, ¿no es cierto? Qué hacemos con la famosa libertad existencial —y se oyó la risita. ¿La gama del azul? Me temo que no nos inquietan las mismas cosas, pensó Esteban— ...las mismas cosas —oyó—, así que volvamos a tu laberinto. Atención, por favor. Se trata de saber si el hígado ha aumentado de tamaño.

Eso era lo que Esteban había oído al entrar. Él no podía haber grabado semejante insensatez. ¿El tamaño del hígado?

—Por supuesto no es necesaria una autopsia. No todavía. Basta con ejercer presión sobre la zona. Debe notarse al tacto. Es doloroso, te advierto. Treinta segundos.

La concentración de Esteban era tan grande que comenzó a temblar otra vez. Estaba tan empapado por la transpiración que lo rodeaba un halo de vapor.

—Hijo de puta —gritó—, dónde está el hígado.

Y repentinamente se puso en guardia, como un boxeador. Si alguien lo hubiese visto habría pensado que por fin se había vuelto loco. Fue, sin embargo, un automático acto de lucidez: él sabía esto, por lo menos, desde los ocho años, desde que su padre le había enseñado a pararse en un ring. Llevó lentamente el brazo izquierdo hacia atrás y se quedó muy quieto. Trazó una curva desde su puño a la cintura de su padre, y, desde allí, una diagonal a su propio cuerpo. El hígado estaba a la derecha. Si supiera papá, pensó, si supiera dónde vinieron a parar sus lecciones. Lo pensó con una emoción y una ternura tan formidables que era como ahogarse, y aspiró con tanta violencia que sintió bajo la piel tensa y empapada los huesos del tórax, como si algo más grande que su pecho fuera a partírselo desde dentro. Padre autoritario y madre complaciente, decían los psicoanalistas, qué imbéciles charlatanes ridículos ignorantes, su padre, un gran ángel de piedra dorado por el sol, que jamás bebió, que jamás fumó, que en sesenta y cinco años ni siquiera se había resfriado nunca, ama sus rosas, silba a la noche...

—Van diez segundos —dijo el grabador.

...salíamos a cazar jilgueros a las cuatro de la mañana, él me llevaba sobre los hombros, él me enseñaba el nombre de los pájaros. Un jilguero no es un mixto. El cabecita negra es una cruza de canario y jilguero. Hay lugares donde al jilguero lo llaman canario. ¿Y ése? Se llama corbatita. ¿Corbatita? Corbatita o corbatita chileno. ¿Papá? Qué. No sé, pero a mí me parece que estas jaulas...

El padre de Esteban se reía.

—¿Te parecen muy chicas?

—Sí —dijo Esteban—. A mí me parece que sufren.

—No sufren. Si no, no cantarían.

—Y cómo sabés que cantan. A lo mejor piden salir.

—No —dijo su padre—. Si quisieran salir, si de veras quisieran, se matarían contra los alambres. Y a ésos, si por casualidad los cazás, hay que soltarlos. No cantan y se lastiman.

—Papá.

—Qué.

—Por qué se fue mamá.

A Esteban le hubiera gustado ver la cara de su padre, pero él no le dio tiempo. Se lo cargó al hombro. Le apretaba fuerte los tobillos. Después de un momento le dijo algo muy raro.

—¿Sabés qué es un malandrín?

—Un pájaro —dijo Esteban.

—No. Vos. Yo creo que vos sos un malandrín. Querés que tu padre no cace más pajaritos. Pero no se lo decís directamente. ¿Sabés a quién saliste?

—A mi mamá —dijo Esteban desde allá arriba.

—No. A tu padre. Y yo creo que por eso sos medio malandrín.— De pronto lo bajó, se puso en cuclillas: los ojos del padre y del hijo estaban a la misma altura. Su padre parecía muy sereno, pero tan serio que Esteban tuvo un poco de miedo. Ahora le apretaba muy fuerte los brazos. Esteban sintió que el miedo no estaba en él sino que venía de su padre.— Vamos a ver —y Esteban se dio cuenta de que el esfuerzo que hacía ese hombre por sonreír era una cosa enorme, terrible, algo que estaba más allá de su comprensión. También supo que de inmediato iba a tener que contestar una pregunta que no estaba seguro de comprender. Su padre...

—Veinte segundos —dijo el grabador.

...está en cuclillas, como cuando jugaban a boxear. Esteban se soltó y se puso en guardia. Lo odio, pensó. Los odio a todos. Pero si ellos pueden preguntar yo puedo contestar. Su padre también se ha puesto en guardia, como si

jugara, pero sin jugar.— Vamos a ver —repitió muy serio—. ¿Qué es mejor? Mírame. Los boxeadores siempre deben tener los ojos muy abiertos, hasta cuando les pegan... ¿Qué es mejor...?, el hombro más cerca de la pera, así... Muy bien... ¿Qué es mejor?, ¿ser un hijo de mamá... o ser un malandrín? —y sin previo aviso le soltó una cachetada, seca, no demasiado suave.

Esteban, con los ojos cerrados por la sorpresa, sintió que se iba a poner a llorar. Abrió los ojos, vio los ojos desolados de su padre, y le devolvió la bofetada con toda su alma. Papá no cerró los ojos. Dio la impresión de que iba a levantar la mano para evitar el golpe, pero, o no tuvo tiempo, o se dejó pegar. De todos modos, casi se cayó sentado.

—¡Un malandrín! —gritó Esteban.

Papá volvió a cargárselo al hombro. Todavía se estaban riendo cuando papá dijo:

—Y por eso se fue, para que aprendamos a no ser malandrines.

—Tiempo cumplido —dijo el grabador.

Esteban ya tenía la mano sobre el hígado.

—Nada, ni la menor perturbación —dijo—. Ningún dolor.

Después estaba en el dormitorio, sentado muy en el borde de la cama, mirando con inquietud e incomprensión el pequeño despertador dorado sobre la mesita de noche. No recordaba haber entrado en ese cuarto. Su voz, en el living, seguía hablando de un modo cada vez más frío y socarrón, y, sospechosamente, demasiado bien articulado. Esa cinta no podía durar toda la vida; esa cinta, aun suponiendo que estuviera grabada de los dos lados y que él ya la hubiese dado vuelta, no podía durar ni siquiera una hora. Era una MRD 2, óxido, especial para conciertos. Algo estaba pasando. Por supuesto, pensó. Por supuesto que algo está pasando, imbécil. Sí, pero *además* está pasando algo. Con el tiempo. Y no sólo con el tiempo. Cómo podía ser que recordara hasta la marca de una cinta que había grabado casi un año atrás, borracho, por añadidura, y no supiera cuándo había entrado en el dormitorio. Y por qué la casa se desplazaba, ya que él no se había movido y ahora estaba en la cocina. Vio el piso de la cocina, las lozas y los vidrios destrozados, la mesada de mármol. Vio, sobre la mesada, el vaso de oporto. Iba a estirar la mano hacia el vaso cuando se encontró otra vez en el dormitorio, sólo que ahora estaba de pie, con el despertador en la mano. La casa se había quedado quieta. Oyó su voz en el living y no pudo comprender una sola palabra. Estaba viendo las agujas del reloj pero había perdido por completo la noción de su significado. No sé la hora, alcanzó a pensar mientras dejaba caer el reloj al suelo. No oyó el ruido. No oyó nada: no había nada. Salvo un infinitesimal punto incandescente de terror que era todo lo que quedaba de él mismo, la realidad, de golpe, se disolvió en la nada. Y durante un segundo Esteban no fue más que eso. Una pura y formidable sensación de pánico. Espósito, dijo. Esteban Espósito. Y no era más que el horror de ser algo, una conciencia, la conciencia de que en ninguna parte había otra cosa que esto, ella misma, una absoluta partícula de horror a punto de estallar. Existo, descubrió de pronto, y el universo entero se reorganizó en el acto a su alrededor. Eso era existir. Fue como si chocara contra algo o algo lo embistiera. Un impacto tan brutal que lo arrojó sobre la cama. Bajo la piel desnuda y empapada del pecho su corazón bombeaba de tal modo que los golpes le combaban la camisa. Estoy vivo y lo sé, pensó. Por eso había vuelto a emborracharse después de la primera vez, hacía once años, por eso había seguido emborrachándose todo este tiempo, por eso la bebida iba a matarlo algún día, por sentir algo que si las cosas hubieran sido de otro modo, o en otro mundo, podría llamarse amor a la vida. No bebía para poder vivir, no bebía para olvidar nada: bebía para sentir que estaba vivo, para saberlo, y eso sólo significaba que no merecía vivir, que era un monstruo, no un hombre, un ser incompleto y baldado, una parodia de hombre que sólo borracho podía alcanzar su... ¡APOGEO! La voz del grabador atronó en el silencio del living.— COMIENZA DE IMPROVISO Y EN UNAS POCAS HORAS ALCANZA SU APOGEO. Como si el sentido de las palabras se armara hacia atrás. Violentamente, Esteban saltó de la cama y buscó el reloj. Eran las cinco. Las cinco de la madrugada. ¿Apogeo? Bueno, fuera lo que fuere, esto ya era el apogeo. Se tolera, pensó con ferocidad. Se tolera perfectamente. He tenido pesadillas mucho peores. Las cinco. Si no podía dormir, si no conseguía descansar de algún modo, si ni siquiera le estaba permitido cerrar los ojos, por lo menos que amaneciera de una vez. La luz del día borra y ahuyenta todo. Lo sabía. Y quién lo dice. Los libros, los libros lo dicen. ¿Y después? Después viene el sueño, el descanso y... —ahora escuchaba la voz del grabador: —el enfermo se despierta curado.— O loco. O enterrado prematuro. O disuelto como el señor Valdemar. Sólo que esto ya no lo decía el grabador. Tengo que llegar al amanecer, pensó. Y antes tengo que llegar a la cocina, llegar aunque sea la última cosa que haga. —Salvo matar —oyó—, el alcohólico hace cualquier cosa para seguir bebiendo.— Entonces llego, pensó Esteban, y el envión con que se apartó de la cama lo dejó tendido en el pasillo que daba al living. Avancé como dos metros, dijo y siguió adelante ayudándose con las manos. Soy un hombre de muchos recursos.— O sea que hay un límite, una ética. No matarás. Me parece que nuestro Sturm también leyó a Jackson.— El tipo del grabador se reía, era casi una risa de muchacho: estaba alegre, una alegría genuina y despreocupada.— Por lo menos no matarás a otro —dijo, y Esteban también sonrió: Ya te voy a ver en cuatro patas, pensó con malignidad. Gateando llegó a la cocina y allí se detuvo. Sin ponerse de pie, con mucho cuidado, asomó la cabeza hacia el interior y fue alzando muy despacio los ojos. De lo que viera, dependía el amanecer.

Sobre la mesada de mármol, estaba el vaso de oporto. Intacto y dorado como un grial. Lleno hasta el borde. Sin levantarse, con las rodillas laceradas por los vidrios, Esteban llegó hasta él. Tenía lágrimas en la cara cuando, con las dos manos, se lo llevó lentamente a los labios...

De las espectaculares formas psicóticas agudas y subagudas en que se estructuran las psicosis alcohólicas —el *delirium tremens*, la alucinosis alcohólica aguda, la depresión aguda delirante, la pseudoparálisis y la psicosis polineurítica o psicosis de Kórsakov—, la que goza de mayor prestigio, por decirlo así, la más misteriosa, la más augusta es el *delirium tremens*. Por favor, caballeros... Tomen sus apuntes sin sonreír y sin distraerse en comentarios. Como hubiese dicho el profesor Jasper, el tema es grave; mi estilo oratorio, demasiado latino quizá, no debe restarle imponencia a nuestro asunto.— Sus discípulos, los doce especialistas jóvenes más brillantes del Deutsches Sozialinstitute Hospital, rodeaban la cama del anciano yacente que así hablaba. En los corredores, en los claustros, en las galerías, en el gran patio central, un complicado sistema de altavoces y parlantes llevaba la palabra del viejo maestro a otros mil ochocientos estudiantes y médicos que, con libretas y grabadores, se apiñaban bajo su voz como un trigal al pie de una montaña. Era una hermosa y pura mañana de abril, algo fría, como si no fuese del todo primavera. —Hoy, señores, hablaremos del *delirium tremens*.— Y mientras la voz del viejo, grave y sonora como un órgano se desplegaba en el aire matinal, Esteban echó una mirada de reojo al medio vaso de oporto que se había reservado sobre la mesita de luz, junto al despertador, que ahora marcaba las cinco y cuatro minutos. Lo importante era seguir ganando tiempo sin volver a tocar ese vaso, y tenía los ojos muy abiertos, recostado a medias en la cama donde el anciano profesor Espósito, premio Lenin por sus aportes a la teoría química de las psicosis tóxicas, ex alcohólico, octogenario y sonriente como Anacreonte, dictaba quizá su última lección en este mundo, tan bello al fin de cuentas, tan colmado de dones y alegrías.— Nadie se ha explicado, hasta hoy —continuó el anciano— el carácter personal, yo diría *singular,* en sentido kierkegaardiano, en que se estructura la alucinación alcohólica. En la alucinosis sifilítica, por ejemplo, la visión de bastoncitos que recuerdan la forma de la espiroqueta, es un síntoma típico. El deterioro del lóbulo frontal llega a producir un tipo de alucinosis que nuestros drásticos precursores, los neurólogos del Santo Oficio, no sin alguna razón, denominaban satanismo. La degeneración parcial de un lóbulo puede materializar visiones aterradoras en ese solo lado del espacio, si los físicos me admiten la figura. Pero esas visiones no difieren en general de las que aterrarán a un enfermo semejante. La pregunta, caballeros, es por qué el delirio y la alucinosis alcohólica parecen organizarse en torno a un núcleo existencial, absolutamente privado. Y yendo aun más lejos, por qué las psicosis alcohólicas, alucinatorias o no, delirantes o no, apenas admiten algo que se pueda llamar diagnóstico, ya que adoptan tanto las formas genéricas de la epilepsia, la parafrenia, la paranoia, como las de la *dementia paralytica* de la sífilis o el venerable satanismo. Y, en algunos casos, todas estas formas, no sólo a lo largo del tiempo sino poco menos que simultáneamente. Por mantenerme fiel al tono de gravedad, los escandalizaré apenas, daré un solo ejemplo antiacadémico. En mi país abunda el ganado. Bueno, la brucelosis, en su forma alucinatorio paranoide, maniacal o encefalítica, podría describirse como una psicosis alcohólica producida por el abuso de leche o por la ingestión desmedida de chancho. Tachen de sus libretitas esto último. Pero nunca lo olviden. El alcoholismo es la Hidra de las locuras, un Jano cuadricéfalo reproducido en los espejos deformantes de un parque de diversiones regenteado por el demonio, una quimera que fuera al mismo tiempo un unicornio, un hipogrifo, un minotauro. No excluye una sola de las perturbaciones que conocen las patologías del pensamiento, de los sentimientos, de la memoria y de las acciones. Desde la hipermnesia y la amnesia a las formas de confusión verbal atáxica, amencial, maníaca y coreica, o la falta de cualquier tipo de confusión verbal, incluyendo toda la gama de ideas delirantes, fóbicas u obsesivas de despersonalización o de grandeza, pasando del sentimentalismo a la atrofia de los sentimientos, hasta la destrucción total del espíritu lindante con el estupor catatónico, nada le es ajeno. *Alcohólico sum et nihil dementiorem a me alienum puto.* Incluida la panglosia. Y entonces qué, se preguntarán ustedes. Muy bien, caballeros. Mi teoría es la siguiente... Wagner, por favor, un cigarrillo.— La deliberada pausa y el anticlímax volaron por la mañana como el rumor antiguo de una risa.— Gracias. Mi teoría es que el alcoholismo no es *strictu sensu* la enfermedad, sino el detonante de una enfermedad latente. Y en los organismos anormalmente sanos, el envenenador, el corruptor del alma, en la acepción antigua de esta palabra. Y espero con todo el corazón que nadie haya entendido de cuanto llevo dicho la polvorienta estupidez de que no hay enfermedades sino enfermos. También la virgen de Lourdes sabe esto. Hipócrates bostezaba cuando lo oía. Lo diré en román paladino. No hay la hemorroides, en efecto: hay el hemorróidico, diferenciado caballero que, si es Dostoievski, combina el dolor de culo con bruscos ataques de epilepsia y con la redacción de *Los hermanos Karamazov*. Pero tambien hay hechos. Y el hecho acá es que la hemorroides siempre se localiza, nunca produce epilepsia y jamás facilita, más bien dificulta, el sedentario ejercicio de las letras. El alcoholismo, en cambio, estalla en cualquier parte, del hígado a las meninges, es propicio al arte de la escritura y, por si fuera poco, causa almorranas. No jaraneen, señores, sean serios. Caramba. Erasmo de Rotterdam... —Y de pronto la voz del viejo cambió. Por la sonoridad del nombre, o por alguna otra causa, se hizo más potente y al mismo tiempo, aunque crecía en amplitud, bajó un semitono: sus discípulos conocían esta cualidad paradojal que el Maestro llamaba el dominio del espíritu sobre la laringitis crónica alcohólica; también supieron, no sin un vago estremecimiento, que el anciano sabio había comenzado a hablar en serio. Quizá siempre hablaba en serio. Sin haber terminado su cigarrillo, pidió otro: Esteban se lo encendió. La serena e irónica autoridad de ese hombre agonizante le había ganado el corazón. ¿Qué iría a decir ahora? Sobre la mesita de luz, el reloj marcaba sólo las cinco y diez. También estaba el medio vaso. Esteban se desentendió de todo y se dispuso a escuchar.— Erasmo de Rotterdam —repitió el viejo— ya lo sabía. Todos somos prosélitos de la locura. Dejando de lado las anomalías latentes que en organismos ya enfermos, o ansiosamente predispuestos, desencadena el alcohol, yo afirmo que despierta, y no hay más palabra que ésa, despierta, una anomalía absolutamente misteriosa, cuyo nombre científico ignoro, y a la que llamaré locura. La locura. Mi locura, tu locura. Locura que los antiguos veneraban en los bosques sagrados; que acaso poseyeron los chamanes. La que fulminó a Nietszche, quien por algo no podía soportar siquiera un vaso de cerveza; la que ardió a Van Gogh, que no era esquizofrénico como se ha creído, sino pura y brutalmente alcohólico; la que extravió en un universo de triángulos, transparentes rombos, fulgurantes figuras estrelladas, al dueño de casi todas las palabras: Dylan Thomas; la que anudó la lengua de oro de Baudelaire, hasta reducirla al sí, al no, al no sé. Esa locura sin nombre que es la forma más personal de percibir, de sentir y hasta de conocer la realidad. Todo alcohólico ha vislumbrado alguna vez esas tierras; no todos han regresado. Locura que está escrita en el origen mismo de lo que llamamos humano, como los caracteres de Tsalal están grabados sobre la piedra.— Y al viejo no le importó que aquellos conmovedores muchachos ignorasen que estaba citando a Poe, del mismo modo que a ellos no les importaba comprender todas sus palabras, les bastaba con amarlo.— Y hay algo en el alcohol, yo lo sé, que abre los ojos a Eso que la despierta. Y si alguien oyó mal y anotó *ese*, déjelo. Locura inclasificable porque es la del hombre individual, *spes unica*, como los catecúmenos decían del Crucificado. El *delirium tremens* es una de sus manifestaciones, su epifanía, la revelación de que Eso existe. ¿Por qué afirmo esto? Voy a hablarles de... No, no me embelleceré, queridos muchachos, no asustaré a esas delicadas hijas de Odín de mirada tan azul que, con mis ojos casi ciegos, imagino en los vastos patios de esta casa. No hablaré de mi experiencia, pues no hay nadie más mentiroso que un alcohólico. Hablaré de la única experiencia que, siendo la más intransferible, personal y propia, puede ser compartida por todos: los sueños. La imposibilidad de dormir, la imposibilidad de descansar, la imposibilidad de que el cerebro realice su rito de purificación en su ámbito natural, el sueño, hace que los sueños no soñados del alcohólico se materialicen en el ámbito espacial: en lo que llamamos realidad. Ahí está la rata o el diablito, o el puro triángulo abstracto y aterrador. Ahí está lo que a mí me aterra, que podría ser tu cielo, tu felicidad, tu calma. Ahí está y lo veo. Y quizás me toca, me babea o me quema. Y me habla a mí con voz que para tu oído puede ser música. No es, como creía Goya, que el sueño de la razón engendre monstruos: es la vigilia de la razón la que los engendra... Wagner, por favor, me parece que estoy quemando la cama. Gracias. Y lo curioso, y de ahí la rareza casi inexplicable del delirio, es que esa per-so-na-li-dad de la psicosis sea, al mismo tiempo, la única posibilidad de cordura del... sujeto.— Esteban echó una inquieta mirada al vaso, que seguía allí; aunque no parecía ser mucho más de las cinco y diez, el anciano sabio agonizante resplandeció de serenidad.— De inmediato me explico —agregó con una sonrisa, con una bondad bella de ver, como decían los griegos, que se contradecía un poco con su ceja y su ojo izquierdos, aun algo satánicos a causa de una pelea de borrachos en su juventud, en la que de un mordiscón le habían cortado un buen pedazo de superciliar, lo que le dejó para siempre ese aire divertidamente maligno que había hechizado a una considerable manada de ancianitas que hoy jugaban con nietos por el mundo. Y a una bella muerta, intocada por el tiempo y sus estragos. Qué le pasa profesor, oyó a su lado. Nada, muchacho, nada: un poco de cataratas y más que nada glaucoma. Y era cierto, los años le habían aclarado la mirada hasta la traslucidez. Tenía los ojos tan transparentes que parecían de plata.— O dicho de otro modo, y para amenizar esta disertación, se exagera mucho, se exagera mucho cuando se habla del *delirium tremens*. En primer término, la conciencia lúcida que el sujeto tiene de que sus alucinaciones, sus ilusiones de todo tipo, que le hacen interpretar equivocadamente objetos o sonidos; la conciencia de que aun las ideas delirantes, siempre relacionadas con las alucinaciones, y capaces de variar tan rápidamente como ellas, son justamente eso, alucinaciones, falsas interpretaciones, ideas delirantes, y son suyas, le permite, debe permitirle, aunque el esfuerzo linde con la muerte, mantener una actitud crítica, vigilante, ante lo que de otro modo podríamos denominar su demencia. Por descontado, el nivel de inteligencia del alcohólico es fundamental en este caso. También su carácter. Espero que no sonrían por lo que voy a decir, pero el riesgo mayor, la muerte, es clínicamente considerado el de menor importancia. Me explico. Puede producirse un paro cardíaco, una hemorragia cerebral, un infarto respiratorio.

Un hombre violento, en estado de delirio, puede quizá matarse contra una pared. Pero difícilmente se arrojará por esa ventana, digamos, si escucha las clásicas órdenes de acabar con su vida que, según se sabe, lo hostigan durante el síndrome. Su conciencia de que las voces son meramente pensamientos puestos en el espacio, órdenes que provienen de sí mismo, le impondrán una conducta de autocontrol. Es, por decirlo así, una locura lúcida. Como el arte. En cuanto al terror, si se me permite la expresión, es de carácter metafísico. No da miedo el monstruo, sino la certeza de que, aun no existiendo, se lo ve y se lo siente. En definitiva, caballeros, lo peor del *delirium tremens* es su nombre. El prestigio del latín le agrega, sin duda, un espanto adicional.— Los discípulos sonrieron: el viejo sileno mostraba sus garras, aun en el lecho de muerte. *Ex ungüe leonem.*

—No se fatigue, maestro —dijo un muchacho de pelo negro y rostro muy pálido.

—Qué otra cosa puede hacer un anciano sino fatigarse, hijo —sonrió el profesor Espósito—. Sírvame un taco de ese whisky y terminemos.

Los muchachos volvieron a reírse. Se oyeron murmullos. Se oyó una franca carcajada. A Espósito le hubiera gustado que las cosas ocurrieran un poco menos ruidosamente. Iba a decirlo, cuando algo se lo impidió: el silencio. Un silencio tan absoluto que Esteban tardó unos segundos en comprender de qué se trataba.

—...*¡CLAC!* —se oyó en el living.

El ruido, seco y metálico, amplificado por la soledad de la casa, sonó como si se rajara una pared. Era el *stop* automático del grabador, sólo que Esteban no lo supo. Como tampoco supo que, durante los últimos veintisiete minutos, había estado oyendo la sinfonía Renana, grabada en la otra banda de la cinta. Cinta que había dado vuelta, colocado en el grabador y echado a andar, con una sola mano, ya que en la otra tenía el medio vaso de oporto, con mecánica precisión de movimientos, un momento antes de entrar en el dormitorio, dejar con infinito cuidado el vaso sobre la mesita de luz y derrumbarse sobre esta cama, donde ahora, paralizado por el terror, volvía a oír el lejano murmullo de las voces y las risas, y recordaba haber visto, alguna vez, un dique, el momento en que cedía la esclusa de un dique. Comprendió que debía beber ahora mismo lo que quedaba de ese oporto. No tuvo tiempo. Algo se precipitó atronadoramente por la grieta, y Esteban, sin llegar a tocar el vaso, sintió un sacudón que casi lo arrojó al suelo. No estoy en ninguna cátedra ni soy profesor de nada ni, mucho menos, me estoy muriendo, pensó, pero las voces y los cuchicheos crecían, sólo que los comentarios no eran amistosos ni tenían nada de científicos, no se organizaban, no se organizaban... no se organizaban alrededor de nada, eran simplemente obscenos. Palabras repugnantes y carcajadas —roncas pero de mujer, como de marimachos, como de putas, gritó—, estallaban en el aire y caían sobre Esteban disparadas desde todos los ángulos y rincones de la casa. Oyó algo que podía ser un portazo lejano. Oyó, entre el tumulto, la bocina y el motor de un auto. Oyó, nítido, un ladrido. Con los ojos desorbitados, fijos en la blancura sin imágenes del cielo raso, apretaba con todas las fuerzas de sus antebrazos la almohada contra sus orejas. Sólo persistieron las voces. Alcanzó a pensar: El ladrido fue real, fue en la calle, el portazo y el auto fueron reales, son los ruidos del amanecer. Y fue lo último coherente que pensó. Su cuerpo, apoyado sólo en la base de la nuca y en los talones, se arqueó de golpe sobre la cama, mientras él gritaba la palabra caballeros, y algo sobre la razón humana, la inhibición extralímite, la libertad y el espíritu indestructible del hombre. La última palabra que pronunció, antes de perder por completo el control sobre su cuerpo, fue perdónenme. De ahí en adelante, ya no pudo detenerse. Algo se había desencadenado, dentro de él o en alguna parte. Lo acometió un temblor tan formidable que parecía provenir de una fuerza exterior. Como si algo intentara arrancarlo de la cama, como si la cama misma, saltando del piso y sacudiéndose, intentara sacárselo de encima. No duró más que uno o dos minutos, pero, en algún instante de esa eternidad, Esteban recuperó la lucidez y, mientras se sacudía de un lado a otro, vio con horror las cortinas de la ventana que daban al pozo de ventilación, se movían, y no era su delirio, era el viento de la noche lo que las ondulaba con hipnótica suavidad.

—¡Tanatófobo! —oyó—. Esta vez te pescamos. La ventana está abierta. ¡Fuera de la cama! ¡Salte! ¡Corra a la ventana! ¡A ver esa última libertad! ¡A ver esa dignidad del espíritu humano, hijo de puta!

Esteban se aferró con las dos manos al elástico. Sabía perfectamente que no estaba oyendo lo que su cabeza oía, sabía que no iba a dejar de oírlo mientras no bebiera ese vaso, sabía que no iba a poder alcanzar ese vaso mientras debiera controlar aquella furia que amenazaba partirle la espina dorsal. No es nada, pensó, es una convulsión. Volvió a ladrar un perro: no era real.

Nombre y apellido.

Mi nombre de pila es Legión. Apellido no tengo, yo también soy expósito.

Se está calmando.

Se levantó. Va hacia la ventana.

—Yo no me iría de este mundo dejando medio vaso.

La voz vino directamente de la mesita de luz. Esteban, sentado en el marco de la ventana, pensó: Es una trampa. Es una trampa grandiosa. Es para que no le haga caso, cuenta con mi espíritu de contradicción. Quiere matarme de verdad, y esta vez lo consiguió. Y se dejó caer hacia adelante. No cayó en el patio sino en el dormitorio, algo desorientado. Estaba al revés, pensó. Lo invadió una gran calma y sintió un familiar calor en el estómago. Supo que iba a dormirse, supo que acababa de beberse el medio vaso que le quedaba. Hasta que lo despertó el timbre de la puerta del departamento, no supo ninguna otra cosa más.

Dos horas más tarde se despertó; era una súbita y violenta lucidez, tan intensa que, de no conocer sus efectos como los conocía, le hubiese hecho bendecir el alcohol. Era todo lo contrario de la resaca, el pánico, la culpa, el cansancio, el dolor. Como estar despierto por primera vez. Sólo que no era la primera vez que se despertaba así, ni ese esplendor, esa sensación de estar fraguado en un metal bruñido y purísimo, podían durar mucho tiempo. Saltó de la cama y, guiado por una brusca iluminación, abrió el ropero y buscó algo en un saco que debía de estar allí por lo menos desde el último invierno. Cuando entró en el baño, iba masticando cuatro pastillas de exedrina. Debía exasperar esa vigilia, volverla útil, antes de que el agotamiento acumulado le impidiera moverse, pensar, limpiar la casa, vestirse, cansarse de verdad. Porque para poder realmente dormir, dormir dos días seguidos, o mil, o los que hiciera falta, debía cansar su cuerpo de verdad, como un trabajador, como un atleta. Se duchó, con la cabeza volcada hacia atrás, con la boca abierta, tragando agua como si tuviera branquias. Debo de parecer un bombardeado del Guernica de Picasso, pensó, y volvió a oír, lejano, el timbre de la puerta. Se dio cuenta de que era eso lo que lo había despertado. No pienso atender, pensó. No puedo atender a nadie, no en estas condiciones. Y sin embargo se sentía bien, hasta demasiado bien. Y por qué no. Al fin de cuentas, excepto su último vaso de oporto, haría treinta o cuarenta horas que no bebía. Ya era casi un ex alcohólico. Claro que, descontando estas dos últimas horas, haría unas noventa que estaba despierto. No podía atender.

—No hay nadie —gritó desde la ducha—. Vuelva otro

día, me estoy muriendo —bañando—. Bañando —gritó.

Vio su cara en el espejo del botiquín. Muy bien, no era un espectáculo reconfortante, pero tampoco era el último daguerrotipo de Poe. Ojos en su lugar, boca debajo de la nariz. ¿Y si atendía la puerta? El chichón de la frente podía disimularlo con el pelo; lo que tenía en la nuca —fuera lo que fuese— no necesitaba andar ocultándolo. Nadie abre una puerta de espaldas. Sin secarse, se envolvió en un gran toallón blanco. Mientras se echaba hacia adelante el pelo con la mano, consideró que, con un poco de buena voluntad, tenía un cierto aire a Brando. La nariz rota, quizá. Buenos brazos, buena espalda. Montó el labio inferior sobre el superior y miró el espejo por entre las cejas: ¡Vengo a inhumar a César, no a ensalzarlo! El mal que hacen los hombres perdura sobre su memoria; el bien, suele quedar sepultado con sus huesos... Y tuvo la incómoda sospecha de que había leído algo muy parecido a esto y no precisamente en Shakespeare. Por otra parte, su cara no podía haber cambiado tanto en los últimos años. No se pasa así nomás de Montgomery Clift a Marlon Brando. El nuevo timbrazo fue tan desconsiderado que lo sobresaltó. Si sigue jodiendo no lo atiendo nada, pensó con irritación. Salió del baño.

—Ya voy —gritó—. Ya voy.

A la entrada del living se detuvo. Las persianas del balcón estaban bajas y la penumbra, inesperada, lo inquietó. Cuándo habría apagado las luces, y movido por qué automatismo. No le gustaban esas sombras. Detestaba el sol, es verdad: le despedazaba los ojos; pero había oscuridades ambiguas que, ciertas mañanas, no podía soportar. Como tampoco soportaba, demasiadas noches, la tiniebla plena. ¿No habría en esta tierra una luz adecuada para él? Por favor, todo lo que hacía falta era alzar la persiana, dejar que el día borrase las últimas larvas del miedo. Debía de sentirse demasiado bien, demasiado invulnerable bajo su toallón; de lo contrario no estaría jugando al pánico. No sentía pánico en absoluto. Lo que sentía era asco. ¿Cómo iba a hacer para arreglar todo esto? Nadie podía ayudarlo, suponiendo que quedara alguien capaz de acercársele. Ha de ser feo estar tan solo, se oyó pensar. ¿Tan solo? Tan solo como quién. Como yo. Prefería atender la puerta a levantar esa persiana. Adivinaba en la oscuridad las botellas vacías, los platos inmundos, los libros manchados y rotos. "Y el enfermo se despierta curado", recordó. Y esto, entonces, era estar curado. Dios bendito, qué porquería. Los libros lo dicen, sí, lo que no decían los libros, lo que nadie había escrito, era esto que Esteban sentía ahora: lo innoble, lo sucio, lo infame que es el lugar por donde deambula, como por su jardín, el alcohólico. Su jardín. La ropa manchada, sudorosa y maloliente, desparramada por todas partes. El olor a orina, y a algo peor que a vómito: a podredumbre. A pura y nada poética mierda, sí señor. Esto es lo que no habían escrito ellos. Esto era lo que no contaban sus desgarrantes biografías. Esto era lo que no podía imaginar ni siquiera el temible doctor Sturm. Esto era finalmente el alcohol, y quizá *sobre todo* era esto. Sólo un alcohólico podía deambular por su inmundicia sin que lo matara el asco. Algún día, pensó Esteban Espósito, yo voy a escribir estas cosas. Aunque sea para no olvidarme de mí. Voy a escribir también que hubo por lo menos un día de mi vida, entre la madrugada y el amanecer de un domingo, en que supe quién era, qué soy, qué es Esteban Espósito. No un hombre entre hombres, sino un borracho entre borrachos, uno más entre el millón de imbéciles que esta misma mañana se pasearon por su jardín de horror y podredumbre y también creyeron descubrir que todavía eran alguien, que por lo menos pertenecían a alguna comunidad, aunque fuera ésta.

—Ya voy, carajo —gritó Esteban—. Tanto tocar el timbre. Qué pasa, si se puede saber.

—Mensajero —contestó tímidamente una voz desde el palier.

Ahí está, pensó. Ya lo traté mal. Y encima debía de ser un cartero conocido, porque esa voz le resultaba familiar.

—Un momento, ya lo atiendo. ¿Hay que firmar algo?

—Sí, señor —dijo el mensajero.

—Qué es —preguntó—. ¿Un paquete, un expreso?

Necesitaba ganar tiempo. No se sentía muy capaz de sostener una lapicera entre los dedos. ¿Y por qué no? De cualquier modo, iba a ser más sencillo si él mismo llevaba la lapicera. No tenía ningún interés en sincronizar su mano con la del cartero.

—Certificada —quiso decir la voz: sólo que Esteban oyó "certificado".

En un saco, en el suelo, encontró su lapicera. Encontrarla tan pronto le pareció un buen augurio. No haberla perdido, ya resultaba alentador. Estaba pensando que no era hora de que viniese un cartero, estaba pensando que era domingo, estaba pensando que los mensajeros, aunque trabajen en domingo, aunque madruguen mucho, no reparten cartas certificadas, cuando la voz agregó algo más y Esteban la reconoció. La lapicera se le saltó de las manos. Miró hacia el lugar donde, en la penumbra, inofensivo y silencioso, estaba el grabador. Miró la puerta.

Su propia voz.

—Certificado, no certificada. Certificado de locura, boludito de la Luna. Pasaporte al manicomio.

Esteban se abalanzó sobre la puerta y, mientras preguntaba insensatamente lo único que no debía preguntar, la abrió con tal violencia que hizo saltar la cadena de bronce del cerrojo.

—Quién es —gritó.

No había nadie. Y, sin embargo, ahí, delante de Esteban, a unos veinte centímetros de su cara, nítida, irónica, articulada por el vacío, su propia voz se abrió paso desde el centro de una pequeña y seca carcajada:

—Mi nombre es Legión.

El portazo hizo caer un trozo de revoque sobre su cabeza. Cerró con dos vueltas de llave, cruzó el living y levantó la persiana. La luz del día lo embistió como una bendición. Ya está, pensaba. Ahora sí se terminó.

Veía, desde el balcón, el plátano de la calle Maza, los adoquines húmedos, la gente que salía de sus casas. Oyó vocear los diarios, oyó el motor de los colectivos en Boedo. Vio, oyó, y respiró las cosas, los sonidos y los olores de la vida. Entonces tuvo una certeza: supo algo, algo que lo colmó de una paz como hacía años no sentía. Fue quizás el único descubrimiento verdadero de todo ese largo amanecer. Lo que en ese momento supo Esteban Espósito, no puede escribirlo otro.

Lo que no sabía, sí. Lo que no sabía era que nada había terminado. Lo que no sabía era que detrás de él, en un rincón del living, algo despertaba y se desperezaba lentamente. Se frotaba el hocico con esa minuciosa pulcritud de gato que tienen las moscas. Era poco menos del tamaño de un recién nacido. Finalmente se quedó muy quieto, mirando con fijeza la nuca herida de Esteban, esperando que Esteban volviera a entrar en el living. Sólo que Esteban no entró, no todavía. Allá abajo, en la vereda de enfrente, también estaba sucediendo algo. Se abrió una puerta desvencijada y, envuelta en un remolino de pelo dorado, salió a la calle la menor de las chicas del conventillo. Era una adolescente tan hermosa que no parecía estar hecha según las leyes de este mundo. La chica levantó casualmente los ojos y, al ver a Esteban allá arriba, envuelto en su toallón y coronado de áureo yeso, tropezó en una baldosa y se detuvo un instante. Nunca se habían saludado. Sin embargo, esta mañana, Esteban Espósito se sentía capaz de afrontar muchas cosas: le sonrió y, con gesto augusto, se puso la mano abierta sobre el corazón. La chica también sonrió. No sólo sonrió sino que, tomando el ruedo de su pollera con la punta de los dedos, le hizo una casi imperceptible reverencia.

Él la siguió con la mirada hasta que ella desapareció en la esquina.

Fui su amor más breve, pensó Esteban. Y entonces sí, sintió un ramalazo de frío y se dio vuelta y entró otra vez en el living.

Del libro de cuerina azul

...según los períodos del día o de la noche en que haya aparecido. Se desarrolla muy rápidamente y, al cabo de unas horas, alcanza su apogeo. Puede durar de tres a cinco días. Muy raramente, ocho.

A. C. STURM, *Alcoholismo y Locura,* Cap. VII, pág. 130.

"Ellos" o el Panteón

Vino a caer, entre las dos y tres de la madrugada, en una cloaca inmunda, hundida en tierra a la altura del piso, y situada entre los muelles de la calle Rivoli, cerca de la Plaza del Châtelet. Se le llamaba la calle de la Vieja Linterna.

No hay palabras para pintar el horror de ese lugar infecto, donde un paraviento hacía la noche en pleno día. Se descendía a ella por una escalera oblicua y empinada, sobre la cual un cuervo domesticado repetía de la mañana a la noche: "¡Tengo sed!" Al descender, bajo el paraviento de una ancha boca de alcantarilla, cerrada por una reja, chupaba un arroyo de inmundicias, a pocos pasos de un cabaret, que, al mismo tiempo, era una posada de dos sueldos la noche. Había que haber perdido toda razón o todo respeto hacia la muerte y hacia sí mismo, para pensar en morir en la calle de la Vieja Linterna, y sin embargo, es allí donde, el 26 de enero de 1855, al alba, se encontró el cadáver de uno de los seres más extraños a toda acción villana que jamás haya hollado esta tierra. Gérard de Nerval se había ahorcado con el cordón de un delantal. Estaba suspendido del barrote de una ventana situada bajo el pavimento. El cuervo revoloteaba en torno a él.

El camino de Locópolis

En Charenton, los locos tuvieron la idea de fundar y redactar ellos mismos un periódico, el "Espigador de Locópolis". Un señor Z., atacado de delirio de persecución, que se había entregado durante varios meses a actos de violencia, se apaciguó. Pasó días leyendo y componiendo versos. En su sección se encontraba un militar que, para distraerse, pintaba acuarelas: un día, reprodujo, parece que con acierto, la puerta del asilo. El señor Z. vio el dibujo y, acometido por una idea súbita, propuso el título: "Camino de Locópolis". Después escribió: "El camino de Locópolis no es una calzada con sus cunetas y sus aceras; es un camino esférico, grande como la tierra... Al nacer se entra en el camino de Locópolis, al morir, se sale... Cosa extraña, es tal vez cuando se duerme cuando se camina allí más aprisa y, con frecuencia, cuando menos se piensa, se franquean las puertas de esta ciudad célebre. Es grave error el que corre por el mundo, según el cual Locópolis estaría habitada por hombres caídos de la Luna. Es más bien fuera de Locópolis que en su recinto donde se podrían encontrar lunáticos. Hormiguean en el camino de Locópolis. ¡Pobres! ¡Todos caminan hacia nosotros!

(De una ficha del doctor Miguel, director del Neuropsiquiátrico donde Esteban Espósito entrevistó a Jacobo Fiksler.)

Libro II

Sic transit

6

El ruiseñor que canta en la tiniebla

El manicomio

El hombre que este fulgurante sábado de julio, sin chaleco de fuerza, sobre sus dos seguras piernas, con un aire juvenil al parecer congénito ya que en cualquier momento cumpliría treinta y nueve años —o no en cualquier momento sino en el momento exacto, lo que le daba también cierto aire de cadáver prematuro, suponiendo que los sueños, claro—, el sobrio hermano gemelo del borracho que esto escribe, el bien acompañado señor de barbita (ella no es Mara, ella es algo así como el rastro de un sueño: ella es nuestra última y definitiva Ayuda Idónea, es la hija del ángel del amor que es el ángel de la Muerte, y por el momento y quizá para siempre será llamada la Sirenita), en fin, para terminar o empezar de una vez, el hombre que ahora cruza las arboledas del Neuropsiquiátrico sin que nadie lo empuje, sin haber bebido una sola gota de alcohol desde hace casi siete meses, es Esteban Espósito. Antes de trasponer esta última puerta ha dicho a la Sirenita:

—Sí. Sé perfectamente lo que hago.

—Me da miedo, Esteban —fue lo que repitió ella. Hacía mucho que lo repetía.

—Un manicomio es una casa. Todo lo que el hombre construye para habitar es una casa. Los antiguos...

—Ya me lo dijiste. La primera noche.

—Lo que demuestra mi coherencia, rasgo de cordura. Qué es lo que te dije.

—Que la mujer también es una casa. La casa del hombre.

—O sea que me mudo. Hola, doctor.

—¿Espósito? —preguntó el señor de blanco.

Lentes, mirada bonachona y huidiza. Un tic, una especie de guiño de complicidad con los dos ojos. Era bajito y redondo.

—Sí, doctor. Y usted, supongo, el director de este interesante establecimiento.

—Llámeme doctor Miguel. Sí. Eso es lo que se supone, así es. Dios del cielo, qué mañana. Hace bien en suponer, hijo mío. Nunca afirme nada. Y menos en este lugar. Vea, se lo voy a decir francamente... Perdón, la señorita...

—Sí, viene conmigo. Es mi compañera, en cierto sentido.

—Se la ve demasido joven en todo sentido, hasta para ser su hija. Espérenos afuera un momentito, niñita.

—No —dijo la Sirenita.

—Bueno —dijo el doctor Miguel—. Sentémonos. Le haré saber, pequeña, que el señor que la acompaña, o mejor, al que usted acompaña en cierto sentido, está, en cierto sentido, algo tocado. No me refiero a su alcoholismo. He estudiado su caso, un modelo de dipsomanía fenomenal. Clásico y al mismo tiempo atípico. Como los clásicos. Hasta donde alcanzan mis conocimientos, incurable. No se me asuste, pequeña. Por ahí, no se nos emborracha nunca jamás. Le lavo las tripas, lo psicoterapeutizo, lo amenazo con ratones. Pero se es alcohólico como se es barrigón. Baruch Spinoza lo dijo del Ser. Toda cosa anhela perseverar en su ser. El alcohólico, es. Chupe o no. Cuando digo que está loco de la cabeza, niña, no me refiero a su feo hábito.

Eso es butanodiol o dopamina. O hasta poesía. Me refiero a... Perdón, debo hacer una pequeña pausa. ¿Oyeron ese grito? Menos mal, qué susto. Lo que quiero decir es que si se quedan un rato van a oír más. Acá se oye de todo. Continuamente. Uno cree haberse acostumbrado pero no. Muy bien. Nuestro hombre está escribiendo un libro, de acuerdo. Ahora mire por la ventana ese sol, hija. Por qué no me lo convence de ir a las sierras. O al mar. Hay lugares tranquilos y adecuados en nuestro país. Esto, no sé si se advierte el alcance de lo que voy a decir, es un manicomio. Seré breve. Tenemos paranoicos, hebefrénicos, maníacodepresivos, parafrénicos, atacados de satiriasis. Y alcohólicos, por supuesto. Sobre todo, un caso extraordinario de demencia alcohólica, el viejo poeta, que derivó en locura mística, don Jacobo, que es, si no me equivoco, el hombre sobre el cual nuestro hombre se ha propuesto escribir. El ruiseñor que canta en la tiniebla. Y también está Salustio. Éstos son los mansos. Detrás de aquella barrera tipo paso a nivel, en las salas cerradas, están los demás. Imaginen las mayúsculas. Los Peligrosos. Los Vegetales. Los Criminales. También hay los Otros. ¿Sigo?

—Hable nomás —dijo Esteban—. Me imagino que trata de decirme algo.

—Así es. Y en realidad, ya se lo dije. Insiste en internarse.

—Insistir no es la palabra.

—¿Esta niña ya le ha dicho que no debería hacerlo? Y por qué no le hace caso. Qué emperrado. Muy bien, esta carpeta es su *dossier*: antecedentes, historia clínica, *curriculum vitae*. Viruela boba a los seis, meningitis a los ocho, huérfano voluntario. Secuelas: a los veintiséis estrena un drama religioso. Ruptura con taratá mmmnn, ajá, stress típico, pumba, mamá que no ha muerto *anche* mmmnn nos manda un día aciago una botellita de White Horse, ja, ja, no me haga reír por favor, si bien nadie sabe, la sensibilidad abandónica transforma el White Horse en *Pale Horse* y lo que cabalga encima es la muerte, en fin, si a esto agregamos tío paterno epiléptico y aun cataléptico y el primo al que hubo que cortarle las piernas por querer seguirle el paso a Johnny, elástico trotador de Escocia, y ciertos anfetazos que acá no figuran pero al doctor Miguel no se lo engaña, no pregunte cómo lo sé, lo sé y listo, sumado todo esto, qué quiere que le diga, Espósito. Yo, con el corazón en la mano, no puedo aceptarlo. Tengo que dedicarle el resto de mi vida. Claro que usted no viene a curarse de nada. Viene de visita. Usted ya se curó solo, juá, juá, yo me caigo desmayado, y como se curó viene munido de grabadores y cuadernos cuadriculados a entrevistar *in situ* a La Locura *sub aespecie* don Jacobo. Ve este botón, yo lo aprieto y entra Jaroslav, mi enfermero jefe, dos metros, ciento cinco kilos, trae un chaleco y cuando la niña aquí presente vuelve a verlo usted es propio el Conde de Montecristo. Váyase, ahora que puede. Yo no tengo corazón para echarlo. ¿Y sabe por qué? Cuando estemos solos se lo digo; es una intimidad. Pero yo estoy buscando una cosa. Acá está. Usted mismo me escribió estas tres cartas. Una no, tres. Veintisiete carillas. Reconoce su firma. Afirmativo. Entonces sabe perfectamente lo que me solicita acá. ¿Cierto? Pero usted, pequeña, ¿lo sabe?

—Sí —dijo Esteban.

El doctor Miguel lo miró. Ojos cargados de inocencia y lucidez. Un plácido fuego sonreía con beatitud en el fondo de esa mirada. Le dio miedo. Un tipo de inteligencia desconocida para él.

—Quiero decir —agregó Esteban—, lo sabe en cierto modo. En términos generales.

—Ah —dijo el doctor Miguel—. Es notable el vínculo que, en cierto modo, une su vida a esta criatura. No tiene relación directa con nuestro asunto, pero, hablando en términos generales, cuánto hace que se conocen. No me atrevo a emplear la palabra tiempo porque hace pensar en años, incluso en días. Y a su edad, hija querida, los minutos son etapas geológicas. ¿Ya la cristianaron, por lo menos? Hogar, hijos, un perrito overo. Hablaron de esos tópicos. Su mamá le explicó ciertas cosas de la vida. Culo contra la pared, boca cerrada. Entre su último Quacker Oats y su entrada a mi *kindergarden* encontró tiempo para investigar quién es realmente el maduro dipsómano al que, ahora mismo, acaba de tomar de la mano.

—Ya lo sé —dijo con calma la Sirenita. Los dos hombres la miraron. —Sé todo eso y unas cuantas cosas más. Pero hay algo que no sé. No sé nada de esas cartas. Callate, Esteban, que estoy hablando yo. Y usted también, cállese. Primero y principal, quiero saber qué dicen esas cartas. Y segundo, lo conozco perfectamente. Hace casi dos años que lo conozco; él no se acuerda. Y hace siete meses lo volví a encontrar. Estaba sentado en el suelo contra un árbol. Me confundió con no sé quién.

—Con la menor de las chicas de un conventillo, en Boedo —admitió Esteban.

El doctor Miguel miraba absorto. La Sirenita dijo:

—No sé con quién ni me importa. Yo te encontré en Flores. Y lo que sé es que si no se me da por volver y llevarte a tu departamento, te morís ahí.

—No sé cómo hicimos para entrar. Yo había cerrado la puerta y tiré la llave a la alcantarilla. Me acuerdo muy bien.

—La puerta estaba abierta. Y además, rota. Todo estaba roto. Y tuve que llamar a un médico y limpiar toda la casa. Lo conozco de memoria. Es un escondedor y un mentiroso y un at... at... ¡aaat-chiiís! —estornudó imprevisiblemente la Sirenita—. Un ateo —dijo sonándose, y se quedó callada como para siempre.

—Salute —dijo alelado el doctor Miguel.

—Gracias, señor —dijo la Sirenita.

—No, no, *salute* interjección de pasmo, la pipeta, recórcholis, repámpanos. Espósito, cuídese de esta criatura: engaña. No me diga nada, hija mía: yo adivino enseguida. Ascendencia celta. O caucásica. A ver, diga fósforo. No va a poder. Va a decir algo así como póporo. Me di cuenta enseguida, por la frente. Espósito, cásese con la joven, hágale caso en todo y use siempre preservativo. De qué hablábamos. Ah, sí. De las cartas. Usted quiere ser tratado, salvo algunas licencias poéticas, como un enfermo más. Como cualquier otro alcohólico, si no entendí mal. Y en último caso, si yo lo exijo, admitiría someterse a todo el sistema disciplinario del loquero. Pijama. Sala general. Comida.

—Sí —dijo Esteban.

—Pero no —dijo la Sirenita.

El doctor Miguel se levantó repentinamente de su silla. No parecía haber crecido más de cinco centímetros. Se tapó la cara con una pequeña y delicada mano de partero. Bajó la mano y murmuró: "Ay, Dios mío, qué hermoso".

—Horarios —rugió de pronto—. Mírenme los dos. Horarios, repito. Ho-ra-rios. Acostarse a las diez, todas las luces apagadas de golpe. Hasta mañana y silencio. Sólo el aullido de las ranas. En un dormitorio general, o cuadra, con ciento veinte trastornados como usted en las sombras. Muchos quizá despiertos, con los ojos desmesurados en la oscuridad. Por no tomar la pastilla. Y de pronto un enfermero pederasta o sodomita, parado junto a su cama. Y a las siete, arriba. Pito y a despertarse. Carrera mar al baño. Minga de leer de noche. Déjeme asomar a la ventana, Espósito querido. Los tipos como usted me dan claustrofobia. Epa, esta jovencita no puede estar un segundo más aquí, o se nos queda dura. Hagamos una cosa, acompáñela hasta la puerta. Yo toco dos timbres, ustedes salen por ese camino entre los árboles. Sin mirar al costado. Y se van a la Piedra Movediza. Claromecó también es muy lindo. Hay un río que da al mar. Dunas. Arrayanes. Un faro. Una vez vi dos ballenas haciéndose el amor. Para todos los gustos. Adiós. Convénzalo en el camino, hija mía. Si usted no puede, nadie puede ______________________________

____

______________________________ así que volvió. Muy bien, Espósito: ahora basta de payasadas. Ahora estamos solos y yo voy a hablar muy en serio.

El doctor Miguel tocó un timbre. Entró alguien, un enfermero o un médico. Esteban no le prestó atención. El doctor Miguel dijo:

—El señor Espósito es una visita. No una admisión. Puede irse cuando quiera, incluso durante la noche. Por ahora, nada de pijama. Tiene libertad de andar por donde guste, de este lado de la barrera. Desde el martes, si se queda, pijama y ficha de rutina: Espósito Esteban, etcétera. Tipología: bebedor social. Internación voluntaria. Tratamiento: desintoxicación. Subrayado: ambulatoria. Viene a hablar con don Jacobo Fiksler, si don Jacobo lo permite. Puede usar grabador, si no se lo muestra. Puede tomar toda clase de notas que serán fiscalizadas únicamente por mí. Todo esto es perfectamente ilegal, pero yo me hago responsable. También puede escaparse. A partir del martes, se entiende. Si lo ve trepar por el níspero que da al paredoncito del Bosque Sagrado de don Jacobo, mire hacia otra parte. Salvo que trepe en pijama o desnudo o en calzoncillos. En ese caso, es que se nos ha vuelto loco. Ahí nomás, chaleco y calmantes. Es todo, gracias.

El que había entrado desapareció.

—Eso era todo —dijo fríamente Esteban.

El doctor Miguel respiró un poquito. Cerró sedosamente los ojos, miró a Esteban por encima de los lentes.

—No era nada. No era ni la mitad de nada. Lo que voy a decirle, se lo voy a decir después que usted me conteste una pregunta. Pero antes debo hacer una llamadita por el interno. Hola. No, no hace falta que me diga quién habla, hija, ya lo adiviné. Le dicto una ficha, de las amarillas. Fecha del martes que viene. Deje el nombre en blanco. Escritor. Alcohólico. Personalidad general adicta. Varias borracheras graves en la adolescencia. Dependencia psicológica de las aminas. Bebe sistemáticamente desde hace once años, quizá más. Tipología básica: bebedor periódico sistemático. Paréntesis. Dipsomanía. Cierre paréntesis. No puede detenerse, dificultad creciente para abstenerse. Un caso de coma delirante en período de abstinencia hace siete meses. Alucinosis, sí. Palimpsestos reiterados. Dato curioso: amnesia retrógrada, carencia de temblores tendinosos y orientación espacio temporal perfecta. Resacas espasmódicas: sí. Dato atípico: no apela al alcohol en estos casos. Acá deje espacio en blanco. Internación voluntaria, subrayado no ambulatoria. Aclaro que esta ficha es personal mía, va a mi cajón con llave. Prediagnóstico. Alcoholomanía. Alcoholismo crónico con síndromes epileptiformes. Sí, señorita Paula. Una joya. Corto y fuera.

—Imagino que ahora sí es bastante de todo —dijo Esteban.

—Suponga todo lo que quiera, Espósito. Pero no imagine cosas. No en este valle de inquietud. Vistas desde otras esferas, las dos fichas son falsas.

—Qué me iba a preguntar.

—Venga, salgamos a dar un paseíto. Antes quiero mostrarle algo. Así que usted, m'hijo, quiere ser tratado sin consideraciones, como un enfermo más. Todo eso de paso, todo eso mientras habla con el Viejo Poeta. Pero yo le digo esto: usted a mí no me trampea, Espósito. Usted sabe perfectamente a qué vino. Cállese. De todos modos, yo no puedo ayudarlo. Las chicas, sí. Ya las va a conocer. Usted viene a mí, pero cómo: sobrio. Ha bebido durante trece años como para desfondar ese tanque de agua pero se me presenta abstemio, recomendado, sintáctico y oliendo a fresas. Nada de internarse como cualquier hijo de vecino. No me interrumpa, peor para usted si no le gusta la verdad. Usted no quiere ser un loquito de la guerra, como aquél. Véalo. Tipo raro. Dos pasos al costado, un saltito. No hace más que dar la vuelta al pabellón de cara a la pared, y alguna razón tendrá. Si le creemos a Swedenborg, el comportamiento de los ángeles es para el Serpasol y la Ritalina. Usted quiere ser un Loco Sagrado. Pero ahora párese acá y dé una miradita a su alrededor. No es la cumbre del Etna, pero igual se percibe algo. Esto, hijo, es un Hospicio Estatal. Y ésa es la gente, porque los locos son gente, gente que fue o pudo ser o quizá es mejor que usted, sólo que es gente que grita y se babea, y quiere matar al vecino o imagina que el vecino quiere estrangularlo. Y se mea encima. Y se caga. Hoy hablábamos de la comida. Le voy a hacer una revelación, la primera. Acá va a tener varias. Lo que esta gente caga es casi mejor que lo que come. Yo le doy el plato de aquel gimnasta y el señor Valdemar le va a parecer un heliotropo. Estatal, repito. El Estado lo provee todo: la bazofia que se come y la Bazofia que come esa bazofia. Y la bazofia con que simulamos curar a la Bazofia. Mírelos. Mírelos bien. Vienen de los barrios más sórdidos, de las villas, de las casas de cartón junto a las aguas contaminadas. Vienen del hambre, de la coca, de la sífilis. Son la borra del país, el sarro de la última destilación de las fábricas donde se manufactura la Gran Mierda nacional. Usted es escritor o qué, Espósito. Usted pensó que le está robando la cama, la comida, la atención médica, a un ser humano que necesita este lugar sencillamente para sobrevivir.

—No.

—Por eso justamente le voy a dar sus prerrogativas. Sus licencias poéticas. Hay pabelloncitos desocupados por ahí. No duerma en la sala general nunca, no coma en sus mesas. Y ahora atenti, porque cambio de tono, lo agarro por sorpresa y le chanto mi pregunta. Ahí va. Cuánto hace que dejó la bebida. Vamos, rápido.

—Seis meses y catorce días.

Y Esteban se sintió caer en una trampa. Exactamente caer. Como un vacío en el vientre, como si de pronto cediera el suelo bajo sus pies.

—Se da cuenta. Si lo apuro un poco más me dice hasta las horas. Usted, Espósito, nunca dejó de tomar. Mientras cuente los días y los meses nunca habrá dejado de tomar. Ya no se trata de ser o no alcohólico. Usted todavía está borracho. Y ahora le voy a hacer otra revelación. Y a esto le llamo yo hablar muy en serio. Todos los alcohólicos del Neuropsiquiátrico beben. No sé cómo se las arreglan, pero beben. Les compran alcohol puro a los enfermeros. Inyectan naranjas y las chupan. Se hacen traer whisky por las visitas o por los ambulatorios. O salen y lo traen ellos mismos. Les roban el perfume a las enfermeras. Beben. Y usted también va a beber. No mañana, no pasado mañana. Pero se las va a ingeniar para emborracharse. Usted mismo se tratará a sí mismo. Como cualquier otro alcohólico. Por última vez: váyase.

—No —dijo Esteban.

—Qué busca, hijo. Y para qué. Vea, Espósito, esto es como un naufragio. Me refiero a la vida humana. Y el mundo es una barca. Sabe quién dijo eso.

—No —dijo Esteban.

—Pregúnteselo a Fiksler —dijo el doctor Miguel.

Epifanía de Jacobo Fiksler

Y finalmente ahí estaba, el Viejo Poeta, el hombre en pedazos, el casi mitológico demente que conversaba con los Zephiroth a la sombra de su níspero, el loco por el que Esteban Espósito había bajado a este hondo lugar de alerces, albercas de ahogadas hojas, bancos de piedra y altos paredones, para hablar de algo, para preguntar o escuchar alguna cosa como quien cumple en sueños el mandato de un muerto, como quien va en peregrinación al Santuario de otro. O como quien busca algo que no es precisamente lo que dice buscar. Ante el pabellón de los Agudos, Espósito dibujaba en su agenda cuadriculada. Un mapa. Levantó la vista y ahí estaba el viejo, frente a él. O más precisamente a su espalda. Un poco ondulado, un poco borroso y verde, como si fuera transparente, mirándolo desde una pecera. Reflejado en el vidrio de una ventana en ruinas. Como si lo acechara desde dos lugares opuestos al mismo tiempo. Y Esteban se rió entre dientes: se rió con deliberación y malicia. No cualquiera se anima a reírse entre dientes en un manicomio. No si quiere salir. Intentaba dibujar un mapa aéreo del parque. Pésimo cartógrafo. Debo escribirle de inmediato a la Sirenita, para que me mande un plano del loquero. Y de cómo se sale. Ella sí, ella es realmente formidable para los mapitas, para las hojas de ruta, dibuja hasta los árboles del camino, las referencias históricas, pone los mojones. A los puentes les pinta hasta el arroyito. Y de pronto recordó un sueño, supo que lo había soñado la noche anterior. Incluso podía ser hasta una pesadilla, su primera pesadilla en el hospicio. Debería anotarlo. Hombre que es y no es Espósito, como sucede en los sueños, y que sale hacia alguna parte con un mapa de la Sirenita. Pero igual se pierde. Va en auto. Va en un Citroën 11 Ligero 1947. Se pierde para siempre en un desvío. Es verano pero va a nevar, lo sabe. Los pájaros de la zona no son biguaces ni patos del tabaquero, pero tampoco dejan de serlo. Más que nada son medio alargados. Los naranjales tienen un color raro, la radio del auto transmite noticias vagamente malignas, en un castellano correcto del que, sin embargo, no se entienden todas las palabras. San Pedro ha desaparecido. El hombre acepta su nuevo destino sin rebelarse, con un poco de humillación, riendo entre dientes.

No me doy vuelta pero sé que ahí está, por fin. El loco que durante casi cuarenta años había deambulado por ciertos parajes donde, según me comunicará, hay seres de cuerpo renegrido y adornados con pésimo gusto, lugar enorme y sin color que es uno y a la vez muchos, la locura, el sueño, también el infierno. Lo que le sobra son nombres. Su característica, solía repetir pensativo, es la falta de color, y no es seguro que sea el infierno satánico porque no siempre resulta desagradable, y porque el infierno es un lugar del que no se vuelve, y es un Castigo. Él, en cambio, había ido de visita y había regresado unos cientos de veces —en alguna ocasión dos o tres veces en un solo día, en unos minutos—, y hasta le regalaban cosas. La última vez se trajo esta boina. En suma, ése que está detrás de Espósito es Jacobo Fiksler. Y otro modo de escribir sobre los parajes que visitaba, es decir que, desde 1935, año en que la policía lo llevó a puntapiés a la cárcel de Villa Devoto por razones místicas —el viejo le ofrendó sus genitales a la Virgen del Pilar bajándose los pantalones ante el altar mayor, lo cual enardeció a aquellos feligreses de la Década Infame pero fue muy del agrado de Nuestra Señora, ya que Fiksler, circunciso, recuperó milagrosamente el prepucio y ese mismo día, 27 de marzo, se convirtió al cristianismo—, desde su conversión, hasta el verano de nuestro encuentro en el Neuropsiquiátrico, deambuló por cárceles, hospitales, barracas, prostíbulos del Paraguay, manicomios, barcazas a medio hundir, trenes cargueros, en un estado mental que fue calificado, a su turno, de esquizofrenia, anarquismo, locura mística, demencia alcohólica, hasta que el doctor Miguel diagnosticó: Hiperbóreo. Prohibido intentar curarlo. Y lo hospedó en el Neuropsiquiátrico donde Esteban Espósito lo verá dentro de un momento, en cuanto se dé vuelta. Lo verá o lo está viendo, ya que de nuestro lado, de este lado de los paredones y los setos de ligustrina, el tiempo no fluye. Las cosas siempre suceden ahora. Están sucediendo. El tiempo, hijo, el tiempo de los relojes de Köenigsberg, el necesario tiempo kantiano, inventado para que los hechos se ordenen de algún modo, es una noción de Afuera. Es para los que esperan el colectivo, el sueldo, los llamados por teléfono, las menstruaciones puntuales, y ya se va a acostumbrar, le dirá a Esteban, en algún pasadizo de ese tiempo, el doctor Miguel; a lo que Esteban contestó con una mirada irónica. ¿Acostumbrar? No articula la pregunta, pero el doctor Miguel responde que sí, que por supuesto se va a acostumbrar. "También le va a pasar con el espacio, pero menos; y, entre paréntesis, ¿ya se dejó encontrar don Jacobo?". "No, es como si se hubiera volatilizado". "¿Sabe una cosa?", dice el doctor Miguel: "Venció el plazo". "Qué plazo". "El de ser una visita. O se va ahora o me firma la admisión". "Pero cómo, qué día es hoy", pregunta Esteban. "Eso, justamente, es lo que le estaba explicando". Y Espósito firmó y tuvo también otras experiencias, no quizá trascendentales pero sí algo distintas de las que, afuera, le habían dado una cierta reputación literaria. De todos modos, pensaba, las metáforas y las descripciones nunca fueron mi fuerte, así que no saber contar esto es normal, máxime si uno debe apoyar el cuaderno en las rodillas. Y acá aparecen los cajones vacíos, los de Arizu. Porque entre esas experiencias, está el hallazgo del cuartito azul. Y la aparición de sus Ofanin: la señorita Paula (alta, pelo lacio, enormes pantalones psicodélicos, como un ángel metido en una bolsa), y la señorita Mariana (ojos celestes, gran comedora de zanahorias y lechugas, romántica incurable, rizos), a quienes Esteban vio de lejos, precisamente desde un agujero del cuartito azul. Zas, pensó. Dos locas del manicomio de al lado. Saltaron el alambre que divide machos y hembras, orgía sexual en el

Neuropsiquiátrico. Pero no, eran algo así como voluntarias; en realidad, eran mucho más que eso. La palabra sagrada, la palabra de la Kibbel es Ofanín, o acaso Ofanin, le comunicará don Jacobo. Intercederán por usted en el Malkuth. Silencio. SH. En cuanto al cuartito azul, Esteban dio con él en un recóndito claro del parque, la misma tarde de su llegada. "Le gusta, úselo", lo autorizó el doctor Miguel; y agregó enigmáticamente: "Espero que después no meta adentro un pedazo de árbol, ¿sabe de qué estoy hablando?" Un pabelloncito asimétrico, ruinoso, que en alguna época debió de ser el cenador de una quinta o de un casco de estancia, y después, en tiempos del primer asilo, un consultorio de primeros auxilios o de odontología. Techos superpuestos, desmoronados unos sobre otros al azar de las tormentas, le daban, entrecerrando los ojos, cierto aire asiático. O quizá eran los leones. Lo que quedaba de dos leones de piedra. Un templo birmano en miniatura, comido por la selva. Si no es demasiado imaginar. Está situado a mitad de camino entre el Pabellón de los Perturbados y la garita con la barrera que veda el acceso a las Salas Cerradas, y lo bastante lejos de un gran rectángulo alambrado que llaman Lugar de Recreo. A determinadas horas del día, mansos zombies en pijama, metidos en esa jaula, alentados por enfermeras de yeso, simulan hacer ejercicios sin ninguna convicción. El cuarto está pintado de azul. Tiene una camilla, que uso de cama. Varios inexplicables cajones de vino, vacíos, me han hecho cavilar en las palabras del doctor Miguel sobre las curas de desintoxicación alcohólica. Con los cajones armé una interesante mesa de trabajo, doblemente simbólica. Me sobró madera para una repisa. Tengo una biblioteca con tres libros. El cuartito azul, aparte del agujero por el que vi a mis Ofanin, está exaltado por un detalle ornamental que fue, para decirlo de una vez, el que me decidió a elegirlo. La lámina de un almanaque de Alpargatas, del año de mi nacimiento y de la conversión milagrosa del Viejo Poeta. Un dibujo de Molina Campos. Un gaucho jetón, feo hasta lo angélico. Puro diente y sueños. En esa pared azul, dueño de la eternidad, monta un caballo cabezón, que va al paso, un lento caballo de grandes y sedosos ojos cargados de gentileza y sabiduría. El caballo lleva el rudo cogote doblado hacia el origen de la vida, hacia la tierra, no humillado, caviloso. El paisano mira lejos. He pasado horas tratando de saber qué ve. Qué ven los dos. A dónde van. Dios no está en el cuadro, no está pintado. Pero sonríe en la noche estrellada.

SIC TRANSIT

Alguien grabó esas palabras en la pared, bajo la lámina. Y debo escribirle a la Sirenita para que me mande no sólo el plano del loquero, sino algo más, algo que no hay por qué mencionar acá. Silencio. SH. Y ahora sí, ahora Espósito ya no tiene más remedio que darse vuelta y enfrentarse con Fiksler. Sabe lo que va a pasar. El viejo lo ha chistado por tercera vez —SH— y Espósito se da vuelta. Ahí está, frente a él. Eso es todo lo que queda de Jacobo Fiksler. El mito vivo, el Anciano de Muchos Días, el ruiseñor que canta en la tiniebla. Mi emoción es voluntaria. Sé que debo sentir algo, temor reverencial, estupor, por lo menos piedad. Y, por supuesto, siento alguna cosa. Lleva una boina vasca, un saco enorme sobre el pijama. Mal afeitado, la frente estrecha. Ojos escondidos, oscuros, pero tan vacíos y exánimes que su mirada parece blanca. Horrendo y senil, atornilla con su mano derecha el meñique de su mano izquierda. "Exceso", escribió alguna vez esa mano, "el camino más alto y más profundo". "Morí crucificado sobre el grito salvaje de tu espalda, ya estoy a la derecha de mi Padre", había dicho esa boca sin labios que me sonríe con estúpida e intolerable placidez. Ni siquiera me doy cuenta de que estoy triste. Ese rostro carece de la dignidad de la locura. Y entonces, el viejo habló por primera vez. Se ha sacado la boina y dice:

—Y por si fuera poco, estoy calvo. Pelagra. Pero qué pasaría si yo lo juzgo a usted por su actual apariencia humana o aspecto boquiabierto. Tenga paciencia. A ciertas horas del día o de la noche, irradio un cierto esplendor. Así que ha venido nomás. Desde que entró me anda buscando, y yo me le aparecí por espejo, en enigma. Ya verá cara a cara. Desde hace años me anda buscando. Yo lo eludo, me escondo. Usted busca a la marchanta. Para qué quiere verme.

—Cómo sabe que quiero verlo.

—Todo el mundo quiere verme. Hace poco estuvieron unos. Venían del Mar Muerto. No los recibí. No hablo con pescados podridos.

—Y por qué se esconde de mí.

—Los dos sabemos por qué. ¿Ve ese árbol? Yo también lo veo. ¿Eso significa que esté ahí, que sea un árbol? Sí y no. Significa que, con la luz adecuada, vemos lo que hace falta ver. Para qué hablar, entonces, para qué tomar notas. Ya una vez vino otro. Anotó todo y escribió un libro. Los libros también son pescados muertos. Jesús y Sócrates no escribieron por eso. Pitágoras tampoco. El que vino aquella vez me amaba. Usted no.

—Cómo se dio cuenta.

—Usted es como de mica, medio quebradizo y superpuesto, pero se ve a trasluz. Pensó que los analfabetos tampoco escriben libros, y que, por lo tanto, usted es de los que piensan "por lo tanto", mi ejemplo era falso. Pero no tuvo en cuenta que yo estoy loco. Y ahora me quiere, me quiere un poco más.

Esteban se pregunta si lo que imagina percibir no es algo prematuro. Irradio un cierto esplendor, lo previno Fiksler, pero por qué tomarlo al pie de la letra. Los poetas, aun viejos, aun locos, son metafóricos. Y acá ya hay demasiados corpúsculos, por llamarlos de algún modo. Como si el viejo levantara neblina. Y aquí y allá infinitesimales parpadeos de oro y plata. Un hospicio no es el lugar más apropiado para volverse sugestionable. Admitidos los estragos que el whisky y la ginebra han causado en mi delicado nervio óptico, y mi consiguiente propensión a las ilusiones, a los zigzags, admitidas las trampas de la fotofobia; resuelto, en suma, el problema fulgor, dónde encajo mi nueva noción de la estética. Una cara como ésa, semejante estupidez y fealdad, no se transforman de golpe en desgarrante belleza. Quien dijo que no. A uno de los hermanos Marx le pasaba, al mudo. Harpo tocaba el arpa y se volvía hermoso y a mí me venían unas ganas de llorar, claro que yo tenía diez años. Los chicos son todos medio insanos. Esteban dijo:

—Muy bien, de acuerdo. Admito que está creciendo una ingobernable corriente de amor entre nosotros...

—Mida sus palabras.

—Amor viril. Cristiano, si lo prefiere.

—Eso ya lo sé. Me refería a la palabra corriente. Dígala cuantas veces se le antoje, pero no sin haber tenido en cuenta las resonancias. En su interlocutor. En mí. Su mayor defecto es el egoísmo, ya se lo han dicho. Y además, prejuzga. Que usted me quiera un poco no significa que yo lo quiera a usted. Lo estoy estudiando. Tiene perfil de ave de rapiña. Con esa jeta hay de todo. Cóndor, lorito, águila, chimango. Para saber si lo quiero tengo que verle las alas extendidas. De qué iba a hablarme.

—Del árbol.

—Adelante.

—Vemos ese árbol, muy bien. Lo que quiero que me diga es *lo que yo no veo* de ese árbol.

Jacobo Fiksler mira fijamente a Esteban. Después mira hacia todos lados. Tengo la impresión de que va a llamar a un enfermero.

—No cometa el mismo error que los otros. Si quiere

entrar en mi bosque, no se haga el raro. Ya le dije que el loco soy yo. Deje tranquilo el árbol. Hágame una pregunta matemática.

—El cuadrado de doce.

—Eso se lo preguntaron a Maupertuis cuando agonizaba. Ya no conocía ni a la familia, y vino otro matemático y le susurró al oído: "Cuál es el cuadrado de doce". Horrible la mente humana. Preguntar semejante cosa a un agonizante. Y para peor, le contestó. —El viejo se quedó pensativo, tan lejos como si se hubiera ido—. ¿Vio? Yo pensaba contestarle matemáticamente, para probar algo que ahora no me importa. Usted hizo una pregunta que apagó o encendió una luz, adentro. Y además, es muy fácil.

—¿El cuadrado de doce?

—Qué, si no. Haga otra.

—La paradoja de Poincaré, ¿cuál es el error?

—Los salamines. Si el universo se achicara y nosotros también, nos daríamos cuenta. Él decía que no, qué bestia puede ser un gran hombre. Se vendrían al suelo todos los chacinados, jardines de Babilonia, jamones y demás cosas que cuelgan. Pito incluido, quizá. La resistencia de una piola no es proporcional a su sección. Generalice e imagine la Apocatástasis. Pero eso, efendi, ¿puedo llamarlo efendi?, pertenece a la física, no a la matemática. Esta vez no me engañó. Si me distraigo un segundo, empiezo por el final y le digo: Eso es física, no matemática. Y después ya no me importa la pregunta. Me empieza a gustar nuestra conversación. Le voy a dejar tomar notas. Ahora me tengo que ir. Tal vez podamos seguir hablando otro día, o más tarde. Ese árbol es un níspero. Es el famoso níspero. Como verá, está a la derecha del camino que da a la puerta de salida. Saque sus conclusiones. Por lo pronto, olvide sus ideas políticas. No las olvide nunca, pero no confunda niveles. Allá afuera, el níspero sería la izquierda. Se lo digo por si lo dejan volver allá. ¿Sabe cuál era el árbol del paraíso?

—Un níspero.

—No era un níspero. Era una vid. Veda, en sánscrito, quiere decir verdad. Se pronuncia vid. El diluvio mató a todo hombre, menos al que plantó la vid. Dios es medio raro, cuídese.

Y se fue.

La Piedra de Rosetta

Tres minutos más tarde yo estaba en la oficina del director. El doctor Miguel tenía un mapamundi sobre el escritorio y, con una extraña lupa triangular, examinaba algo, por el lado de Asia.

—El pijama le sienta —dijo sin levantar la mirada—. Qué pasa. Quiere irse. Se lo anticipé. Quédese por lo menos hasta mañana. Le voy a hacer un electroencefalograma de rutina. Kamchatka. O Nepal. Por acá anda la cosa. También necesito un poquito de líquido cefalorraquídeo. Venga acá. De qué color diría que es este lugar del mundo.

—Verdoso. Necesito hablar con usted.

—Qué quiere decir verdoso; sea más preciso.

Miro el globo terráqueo más de cerca.

—El impreciso no soy yo, es el color. Es como si fuera verde pero también azul. Vengo a hablarle de Fiksler.

—Así que verde y también azul. Antes de decirme el disparate que ha venido a decirme, espere un poco. —El doctor Miguel levantó el teléfono. —Hola. Sí, señorita Paula, habla precisamente él, no hija, no me enojo pero le recuerdo que estudié con Lorenz, que me especialicé en la

Universidad de Köenigsberg, que soy doctor *honoris causa* del Instituto Pavlov de Moscú, y de nueve universidades europeas, si cada vez que usted me pregunta si habla el viejito choto el epíteto incluye el resto de mi personalidad, no me enojo. También soy su superior jerárquico, hijita. Saque la ficha amarilla de Espósito. Escuche esto, Espósito. Anote, nena. Confirmada la conjetura S. El paciente demuestra una clara dificultad para distinguir con nitidez los colores en la gama del azul y del verde. Corto y fuera. Ya lo ve, mi ebrio amigo. Existe nomás una estructura alcohólica. Algo de más o de menos. Algo que no tiene nada que ver con el hábito. Que es anterior al hábito. Usted es mi confirmación 666. Qué numerito, carambadigo.

—Escúcheme. Vengo a hablarle de Fiksler. Ese hombre no tiene nada de loco.

El doctor Miguel mira por fin directamente a Esteban. Lo mira con un ojo celeste a través de su lupa triangular.

—¿Se da cuenta de lo que me está diciendo?

— ...

—Me está diciendo que don Jacobo tiene un sistema de asociaciones y defensas tan parecido al suyo que usted no lo nota. Vaya. Estoy estudiando los alrededores de Nepal ____

____

____________________ usted vive entrando y saliendo de mi oficina. Qué le pasa esta vez —dijo el doctor Miguel desde su escritorio, cubierto ahora de papeles; el globo terráqueo estaba sobre una repisa, junto a un cuadro de Francis Bacon que yo no recordaba haber visto un momento antes: un hombre medio enrollado en una silla, boca ovalada, un solo ojo, un humanoide que hubiese tenido de antepasado a un sapo, mucho ocre, mucho marrón, bastante violáceo por el lado donde debería estar la oreja. —Qué le pasa, se siente mal. —El doctor Miguel deslizó con el dedo índice sus anteojos sobre la nariz y me miró sonriendo. —Fu. Despiértese. Tiene cara de pesadilla.

—Venía a hacerle una pregunta.

—Cómo que venía. Viene. Hable bien, para algo es escritor. O a lo mejor venía y se durmió. Perdóneme, Espósito, pero esta mañana estoy abrumado por la belleza de la vida, ni sé lo que digo. Le presento a Jaroslav, mi enfermero jefe. Sección violentos. Croata.

Oír la palabra mañana me sorprendió. Tanto que no tuve tiempo de asustarme. Era como si el tipo del cuadro hubiese crecido de golpe y, levantándose de su silla, se inclinara secamente ante mí.

—Honrado de tenerlo entre nosotros —dijo Jaroslav.

Trac, hicieron sus tacos.

—Lo que quiero saber es qué significa eso del encefalograma y la punción.

—Si se lo dije ayer a la tarde. ¿O cuándo fue? Bueno, usted venía de hablar con don Jacobo. Y a propósito, adelanta o no su libro. He visto que se instaló en la sala Molina Campos. Y ya que estamos, de qué color cree que está pintada.

—Verde —dije yo.

—No se haga el chistoso. Es azul y usted lo sabe. Siga actuando así y otra que encefalograma. Y las punciones serán dos. Necesito una muestra de su glándula hepática. El hígado, hijo, la víscera sagrada. El asiento del alma, ya lo sabían los griegos. Y en nuestro caso, quién sabe. Quizá la Piedra de Rosetta. Una llave para descifrar el jeroglífico de la locura. Jaroslav, el hígado de este hombre es mi escarabajo de oro.

—Supongamos que yo no acepto nada de esto. Supongamos que decido irme. Ahora mismo.

El doctor Miguel se quitó con serenidad los anteojos; delicado y muy serio los limpió con la punta de la corbata. Vi, de costado, que Jaroslav se ponía en movimiento hacia mí. Juro que sonreía. Su alargada cara de doberman.

—Jaroslav —dijo el doctor Miguel—. Quieto.

El croata se detuvo, después se diluyó. Tuve la fugaz impresión de que ahora flotaba hacia la repisa, hacia su silla en el cuadro.

—Creo que no me siento bien esta mañana —dije.

—Se ve, Espósito. Es natural, no se preocupe. La punción raquídea puede, ocasionalmente, producir algo así como ir en barco. Y todo electro tiene siempre algo de shock. Por supuesto que ya se los hice. Anoche mismo. Yo mismo. Todo normal, hijo. Tanto que casi no puede ser. Lo que hay es Factor X, como si dijéramos que en alguna parte usted tiene un milagroso laboratorio de refinar morfina. Siempre lo tuvo. Y eso sucede en el hígado. Yo tomo una muestra y listo. Usted puede seguir hablando con don Jacobo todo lo que quiera. Salvo que haya decidido hacerme caso y se vaya. Jaroslav, ¿te expliqué o no que este hombre es libre? Lo conmovedor es eso, Espósito, la libertad absoluta de los humanos dentro de ciertos límites. Como un animal atado a una cadena. La metáfora es de Kafka.

—*Mein Gott!* —dijo Jaroslav.

—Jaroslav fue chofer de Ante Pavelic. Ahora es un alma noble. Le quedan ciertos tics, es todo. Muy bien, Espósito. Usted se va cuando guste. Yo rompo su ficha, se viste de civil y nos olvidamos del asunto. De su salvación, del níspero de don Jacobo, de mi Piedra de Rosetta. Sólo que no puede irse hoy ni mañana. Un brote de gripe asiática. No en usted, claro. En el Pabellón B. Mientras tanto, qué hacer. Usted se tranquiliza, sigue clavando cajones o tomando notas y yo como gato al bofe. Caigo sobre su hígado. Si usted me autoriza. Necesito cierto hígado, no cualquier pasta purulenta. El de un alcohólico por afinidad química, por fatalismo. Acá, el Estado nos manda únicamente cirróticos de la guardia vieja, dementes en estado de descomposición. Patefuá. Usted vino solo y a medio desintoxicar. No me mire como si yo fuera el doctor Frankenstein.

Usted es una especie de mutante. De qué tiene miedo.

—No tengo miedo. Y puede punzarme cuando quiera.

—De ningún modo, no no. No sin un pacto de mutuo amor y comprensión. No sin una absoluta sinceridad de ambas partes. Y además, ya lo hice. Pero usted desconfía por principio. Y eso es pésimo en un hospicio. Jaroslav.

—Ordene.

—Localíceme a esa mujer, la Gran Enfermera. —Jaroslav salió, sigiloso y erecto como si reptara de pie. Yo miré de reojo el cuadro: el hombre seguía en su silla. —Qué le pasa con esa pintura. Desde hoy la mira con un solo ojo. Qué ojo izquierdo terrible tiene usted. Sabe quién es el autor.

—Francis Bacon.

—Me lo temía; se enloqueció.

—No me refiero a ese Bacon. Me refiero a un pintor moderno que se llama Francis Bacon.

—¿Y pinta así? A ése también me gustaría verle el hígado. Y se llama Francis Bacon... Hay que tener coraje. Bueno, nosotros teníamos un pintor que se llamaba Greco. Nosotros los argentinos, no nosotros nosotros. Se suicidó, claro. No, señor; lo pintó don Jacobo. Pinta, canta. A veces baila. Ya no escribe, dice que Dios le hizo olvidar la forma de las palabras porque la escritura es demoníaca. Mata la palabra. Y tiene razón, qué quiere que le diga.

—Se parece a Jaroslav.

—Ya sabía que usted y Jaroslav se iban a llevar mal. No es Jaroslav. Es Freud, según don Jacobo. La Gran Enfermera dice que soy yo. Jaroslav dice que es don Jacobo. Yo no digo nada. ¿Vio ese ojo? Lo que iba a decirle es esto: no se acerque a Jaroslav. Usted lo odia y le tiene miedo, cállese. No fue gentil con él, él se inclinó para darle la mano y usted no lo saludó.

—No me di cuenta.

—Y qué le estoy diciendo. Hay afinidades químicas,

lo sé. De mala gana pero lo sé. El espíritu convertido en protones y aminoácidos, ay, Padre, aparta de mí este cáliz. Pero bué, si estoy acá abajo hago lo que se me trazó. Y punto. Pero también hay afinidades humanas. Ustedes, los hombres, se tocan, se rozan, se besan. Lo semejante está ávido de lo semejante. Pero si no hay llamado, imantación, amor: guerra al extranjero, maten a ese bastardo, quiero verte muerta y enterrada mamá, te corto las orejas canalla. Con Jaroslav le va a pasar eso. Y lo peor es que a él también le pasa. Sólo que él es más inocente. Y no sabe. Pero mide como dos metros de acerada fibra humana. Mi consejo: cuídese de ese hombre. Hizo la guerra. Amó a Pavelic. No se alarme, hijo mío. Lo amó por error. Pero amar es una virtud. Siempre. O sea que a su modo, Jaroslav es un sujeto excelente. Perfecto para un lugar como éste. Si hay que agarrar y darle un palo, se lo da. Cuando en Croacia ahorcaban judíos y comunistas, Jaroslav se encargaba con sigilo de darles un último tirón. De los pies. Para que sufrieran menos, bello corazón. Es un pragmático. Pero tiene un problema. Bebe. No siempre con moderación. Se aficionó acá, cuidando alcohólicos. ¿Y qué otra cosa se puede hacer en un lugar como éste? Por ahí hasta lo convida, siempre anda con una cantimplorita en el bolsillo. Lo que jamás le acepte, ni a él ni a nadie, es morfina. O yo no sé nada de esto, o su Factor X es idéntico a la morfina. Dopamina. Lo cual reafirmaría cierta hipótesis de un colega mío, joven neurólogo, futuro gran sabio. También pragmático. Inventó un método de lobotomía transorbital que elimina serruchos, martillos y cortafierros. Trepana como una brisa de primavera. Usted, en lo posible, apártese de la gente. Cómo le diré. Hay afinidades naturales, electivas, peligrosa: contradicciones dialécticas, solubles al amor. Y hay una especie de lucha de clases de las almas. También apártese de cierta hembra que, en este preciso instante, va a llamar con delicadeza a mi puerta. ¿Vio? La adivino por el perfume. Adelante, adelante nomás. Qué tal, mi encantadora Gran Enfermera. Disculpe que no me ponga de pie, hermosura, pero es lo mismo. Sentado soy igual que parado.

—Buenos días, doctor —dijo eso que acababa de entrar.

—Espósito, la casi doctora Morgana Sturm, hermana del eminente psiquiatra, neurólogo y profesor del que al pasar le hablé. Morgana: el señor Esteban Espósito.

—Ah. El periodista alcohólico. Yo me encargo.

—*Quod erat demostrandum.* No. Lo que quería pedirle es que me prepare esta receta, ya mismo. Mucha cantidad. Se viene la sudestada y no quisiera que se anden degollando allá en el fondo. No mezquine hidrato de cloral. En cuanto a este hombre que parece volver de una transfusión de lavandina, es, en efecto, Esteban Espósito. Una admisión. Lo verá cometer ciertas transgresiones, desentiéndase. Forma parte de la terapia. Usted no piense. Pinche y trepane y adelante con las enemas. Pero no se ocupe para nada de este hombre. Ni lo mire. Mutt y Jeff se encargarán de él. Las busca y les dice que vengan de inmediato. Qué sería de nosotros sin usted, Morgana. Sin usted, ni puedo imaginar un manicomio. Hasta luego, dulce flor de la locura, mariposa, botón de la psicosis. No se me olvide del hidrato de cloral.

—Hasta luego, doctor.

Y el mántido salió, sin mirarme. No era fea, incluso era capaz de sonreir. El culo en su lugar, largas piernas.

—Y bien, Espósito. Qué le pareció esa interesante aunque madura damisela. Cállese, va a mentir de puro miedo. Y ahora, volvamos a mi Piedra de Rosetta, a nuestro asunto. El hígado, el lugar de la batalla, el aulladero humano. *Hepatos Pathetikós,* lo que duele más que el dolor. La víscera donde combaten Dios y Satanás.

—Cómo dijo que se llamaba esa mujer —pregunté.

El doctor Miguel sacó de un cajón un porroncito de ginebra. Suspiró.

—Mantis Religiosa. No importa cómo se llama, para usted es de la especie mántido, género mamboretá. Usted le tiene fobia al Tata Dios. Esa mujer, Espósito, es una gran enfermera. Y hasta una gran mujer. Alcánceme ese vasito, sabrá perdonar que no lo convide. Como esta ginebra es una gran ginebra. Pero las dos le dan en el hígado. Y no pienso cambiar de tema. Así que escondo la ginebrita, echo un poco de aerosol para despistar y entra Jaroslav.

—Ordene, doctor.

Afuera se oyó un trueno. La sudestada.

—Jaroslav, en minutos se van a desencadenar mi lengua y un tormentón de la gran puta. No hay tiempo que perder. Cómo describirías el hígado, o mejor, el brote hepático de un embrión humano de tres meses y medio. Rápido, de memoria, bien a lo croata.

—Un tejido mesenquimático amorfo.

—Qué más.

—Con tortuosas trabéculas y vasos sinusoides.

—Dónde está.

—Se interpone...

—Momentito, atención a esta palabra, Espósito. Usted tiene la obligación moral de reparar en las palabras. Y de resignificarlas. Sigue, bestial Jaroslav.

—Se interpone en la cara ventral, entre los vasos vitelinos y umbilicales...

—Pausa. Stop. Umbilicales, dijo. De *omphalos,* ombligo. Oiga el final, adelante Jaroslav.

—...que van de la placenta al corazón.

—Y qué más, Jaroslav.

—Nada más, *Herr Doktor.*

—Y usted qué cree, Espósito. Veo que usted no cree nada. Muy bien, yo se lo explico en la arpada lengua de los pájaros. El hígado es el intermediario entre el hijo y la madre, el hígado, ya en el origen, creaba por sí mismo su propia sangre y era el mensajero entre tu sangre incipiente y la de la madre que te parió, el puente entre lo anárquico, primitivo, caótico y pluripotencial y la divina y espiritual libertad creadora que después llamamos hombre. Y nunca deja de serlo. Es lo estructurante, y lo humanamente temporal e histórico. Marca, pauta, graba lo vivido y esconde en su centro la nostalgia del lugar al que no se puede retornar. Por eso el hígado de un alcohólico, hijo, al desintegrarse, desanda el camino hacia las Grandes Madres fáusticas. Se agranda, vuelven a permeabilizarse las venas umbilicales y el ligamento redondo, la forma lobulillar se descangalla, distorsiona y anarquiza, como al principio. Y qué pasa. Se hace incapaz de conjugar la bilirrubina y reproduce una ictericia similar a la del recién nacido. Y no es todo. Se produce ascitis, que es como hablar del líquido amniótico de la etapa prenatal. Hay una vuelta a la estructura del feto, una regresión en que la circulación hepática se reduce a la casi nada, igual que antes, cuando la edad de oro del flujo materno fetal. Sólo que para esta etapa, hijo querido, no hay panza materna alguna. No hay Madre Nutricia. Hay un sujeto adulto con hígado de niño, de angelito, un sólido huérfano o hijo de puta que alucina sus deseos según modelos delirantes por necesidad primaria de vivir. Ahí tenés el mito de Prometeo del siglo veinte, papanatas... rulo. Por eso los gavilanes de la cirrosis nos van a comer el hígado. Porque es el Intermediario, siempre lo fue. El Mensajero, el serafín que vuela entre el hombre y la divinidad. Entre la razón y la locura.

El fantasma de Mara

Y entonces, y por última vez en mi vida, apareció Mara. Hermosa y alta entre relámpagos y truenos. Invulnerable, al fin de cuentas. Melancólica, un poco vengativa. No quiero decir que apareció en ese momento, sino en algún momento, en cualquier momento de ese largo atronador y deslumbrante primer día, que no debe medirse como los días de afuera, que está regido por otras leyes. También, antes o después, recibí una larga carta de la Sirenita, fechada en un pueblo donde hay dunas, blanca arena lunar que no se queda quieta; donde nadie se despierta nunca en el mismo paisaje en que se durmió. Carta y encomienda. Un paquetón que me ganó el respeto de los locos, por sus dimensiones faraónicas. Yo distribuí algunos panes y peces entre mis perseguidores más cercanos y corrí hacia el níspero, al amor de cuyas ramas, comí, con don Jacobo y nuestras Ofanin, el resto de la encomienda. No sin arrojar alguna pata de pollo a los más amenazantes, y también algún ladrillazo. Horas de gloria y zozobra, horas de aprendizaje e iniciación, plenas de destellos y experiencias visuales y auditivas. Vi a Salustio, el catatónico. Oí la lengua terrenal de la señorita Paula. Flaquitos, nos decía ella a don Jacobo y a mí, métanle el diente al ave y córtenla con la huevada. Lo que significaba que comiéramos la encomienda y dejáramos para la sobremesa los misterios de la Kibbel, que significa tradición y debe entenderse Kábbala, como me enseñaba don Jacobo, Kábbala con k y con dos b, para diferenciarla de la otra Cábala, la cristiana. ¿Nada que ver con la de los pálidos, nocturnos jugadores que viajan a Carmelo o Mar del Plata con fines de lucro?, preguntaba por preguntar la señorita Mariana, mordisquendo un pedacido de pechuga del tamaño de un micrón pero embuchando cuanto rabanito, zanahoria o radicheta traía la caja. Nada que ver con la Lotería salteña, hija mía, confirmaba don Jacobo, enganchando su dedo meñique a un huesito en V, en singular justa con la señorita Paula, quien, también con su meñique, larguísimo, aéreo, de princesa en el exilio que comparte la vianda con unos bandoleros, pugnaba del otro lado por quedarse con el sector más largo de modo que se cumplieran sus deseos. Cagaste, Viejo Poeta, gritó la angélica niña blandiendo el hueso triunfal, a ver, pidan todos algo para adentro así yo exijo que se cumpla y de un solo saque lo ponemos al Superviejazochoto (se refería a Adonai, a Iod-Hé-Vau-Hé, a Dios) de culo contra la nube. O de otro modo lo obligábamos a Él a distribuir más dones de los que destinó a la horqueta del pollo. Dijo culo, observó la señorita Mariana picoteando una cereza. No le hace, dijo don Jacobo: el Señor oye música no palabras, y la generosidad vuela hacia arriba como un aria de Mozart. Y le acertó un cascotazo a un alienista que por allí pasaba codiciándonos la encomienda. Mirón hijo de puta, le gritó, esclavo de la Gula, ¡fuera de mi bosque! Y mientras dábamos fin al almuerzo yo pregunté por qué le llamaba bosque al níspero. Y él: Porque soy loco. Y yo: Usted me contesta siempre lo mismo, maestro. Y él: Encuentre el camino hacia mí, sea el que es. Y yo: Mire que tengo mal carácter, don Jacobo. Y él: Ya vamos mejor, siga intentando. Y yo: O me explica las cosas con claridad o la próxima encomienda me la como yo solo. Y don Jacobo me miró bajo los truenos, sentado frente a mí en la posición del Loto. Y pensó un momento y finalmente dijo: Tres ramas son el triángulo sagrado, muchas es el árbol proteico, el árbol que parece níspero y a ciertas horas o con cierta luz es también el granado, la abierta y sangrante víscera del dios que fue devorado por su propia jauría, árbol con rama de oro, de la familia del alcornoque para los que sólo ven *sub aespecie* botánica, acacia, para los que saben que aún seca resiste el embate de todo ventarrón y muere por la copa. No puedo decirle más. Y yo sé ahora que entonces entendía, y me incliné hasta la tierra y prometí seguir compartiendo mis chorizos y budines del porvenir. Y el domingo, como dije, vino Mara. Y ha llegado el momento de explicar mejor algunas cosas. Acabo de escribir domingo; antes hablé del primer día. Son hábitos verbales, expresiones para situar en alguna parte lo que sucede en cualquier orden. La palabra día designa la menor unidad temporal de un ciclo o internación que abarca tres veces tres períodos que van desde mi llegada al momento en que la Sirenita, volviendo de sus dunas, me encontró borracho en una comisaría de Pilar o Ingeniero Cabred, con una flor blanca en el bolsillo, en estado de coma pero vivo, y donde empieza o termina otra historia. Que no es ésta. Ésta no empieza ni termina: sucede. El antes, el después, son nociones de más allá de la ligustrina. Tampoco es muy correcto decir más allá, la sola palabra lugar ya postula un equívoco. Lo que me pasa habría que contarlo en hopi, lengua misteriosa que carece de palabras para el espacio y el tiempo. El Neuropsiquiátrico sólo admite dos puntos cardinales, la derecha y la izquierda, en relación al níspero. Y una tercera dirección, el arriba, que es el lugar por donde se sale de todo embudo, como decía, enigmático, don Jacobo. Por otra parte, a partir de la sudestada, el manicomio no permitía muchas referencias temporales astronómicas ya que salvo la oscuridad total, todo lo demás, crepúsculos, amaneceres, estrellas vespertinas, tendía a juntarse en una especie de cárdeno relente que es, en suma, la tonalidad a la que yo llamo tarde del primer día, que culminó el domingo en que aparece Mara. Allí estaba entonces. Inmune a nuestra separación, inmune al dolor de estos últimos diez años. Inmune a su suicidio. No sé cómo hizo para encontrarme, pero algo sé: no se había tirado en absoluto al paso de ningún tren, con ningún ramo de flores, al día siguiente de nuestra ruptura. Cosa que me encargué de hacerle notar. Y ella, que me conoce, dijo quién sabe. "Quién sabe, Esteban, a lo mejor estás loco de veras y yo me aparecí como un cargo de conciencia." ¿Un fantasma?, dije yo. "Una obsesión", dijo ella. Pero ¿de carne y huesos?, no puede ser, dije yo. Y en ese instante concebí lo que fue ejecutado luego sobre la camilla de mi cuartito azul. Ya que Mara sonreía de cierta manera, como sonríe a veces una botella de whisky desde el rincón más oscuro de la casa, como si realmente me quisiera hacer pagar hasta mi última culpa en este mundo. ¿Y a qué viniste, descartando la satisfacción que puede causarte verme en pijama, en un manicomio, aunque sobrio? Y me pregunté por qué estaba diciendo estas cosas, si no la odiaba, si en realidad debí de haberla amado y quizá, de un modo secreto, todavía la amaba. Y es una lástima que no haya sabido escribir antes lo que alguna vez sentí por esta mujer, pero acaba de pasar a nuestro lado uno de los Mansos piloteando una especie de carretilla sobre la cual, inestable y gloriosa, viaja la señorita Paula, quien, alzando hasta su ojo un largo dedo índice de Virgen Bizantina, ha susurrado attenti, negro, y ya no hay tiempo de explicar qué significó para mí, quién era a veces realmente Mara, cómo renacía ciertas noches desde la espuma de un mar tempestuoso y adverso y cómo, a su modo, también me amaba. "No vine a ver si estás sobrio, loco o en pijama", dijo secamente, "vine a decirte que no podés quedarte acá". Probablemente no pueda, admití. Pero, cómo expresarlo sin que te suene demasiado descomunal: debo. Y en algún momento se pronunció la palabra amor y yo pensé que no podía ser sólo química. "Ni siquiera estás escuchándome", decía

Mara. Escucho perfectamente, pero además pienso, cosa que siempre te costó entender. Y pensaba, en efecto. Pensaba que esa mujer y yo habíamos vivido juntos muchos años. Yo, nunca demasiado sobrio, es cierto. Pero aun así, admitiendo que en la primera semana de esa espantosa borrachera yo le haya dicho te quiero entre tres y diez veces diarias, y luego, en rápido orden decreciente, una o dos veces por quincena, por semestre, por año, y finalmente nunca, debí de haberla amado, aunque sea de a ratos, cientos de veces. Ya que, sobrio o borracho, soy ese tipo de varón sensible que no puede decir te quiero sin sentirlo. ¿Y por qué ahora no sentía absolutamente nada, y al parecer ella tampoco? "Repetí qué acabo de decirte", dijo Mara. Me pareció oír la palabra Infierno, dije yo. Y a propósito, ahí viene hacia nosotros el centro de la cuestión. Te presento a mi Virgilio. "Por Dios, Esteban, no", alcanzó a decir Mara; pero don Jacobo Fiksler ya estaba junto a nosotros. Extremaba, hasta casi lo imposible, su sonrisa demencial de estupidez. Pero no podía ocultar el polvo de oro que levantaban sus zapatos. ¿Mara lo veía? Supe que la Sirenita sí lo vería. Don Jacobo miró con fijeza a Mara. Dejó de sonreír y dijo:

—Usted ha crecido varios centímetros desde la última vez que la vi. ¿Cuándo se le oscureció el pelo? No importa, usted también es muy hermosa. Gracias por la encomienda. Chist, no diga nada. La culpa es de él. No avisa, parece loco. Y además toda mujer es una dádiva, una cornucopia, una encomienda de Dios. Me hubiera gustado conocerlos muchos años antes. Ahora es tarde, tengo que irme.

—Levantaba como un polvo de oro —dijo Mara en el cuartito azul.

Y entonces sí la odié, la odié con toda mi alma y supe que era la última vez que sentía algo por ella, y la injurié, y la humillé sin piedad pero con una tristeza inmensa, y la vejé hasta que sentí en mi corazón su propio odio y su propio desprecio. Y nunca volvimos a vernos. Y esa noche le agradecí a Dios porque supe que Mara no tenía la culpa de nada ______________________________________

____

__________________ y a la mañana del segundo día, Espósito despertó con el aspecto de haber viajado en la carretilla de la señorita Paula por el pedregoso valle de la Luna. Le temblaban las manos. Le temblaba un párpado. Tenía la boca seca y la incómoda impresión de haber sido pateado en los testículos. Tambaleándose se acercó a su ventana del cuartito azul, al agujero, y espió el parque. Veía sólo una ocre desolación. También vio, oculto tras un roble, a un demente de ojos despavoridos que se mordisqueaba una mano con terror, creyó reconocer la boina, el saco enorme, los botines Patria. Le zumbaban los oídos. Volvió a tirarse en la camilla, temblando, y, después de meditarlo un segundo, decidió que lo mejor era empezar a dar gritos de socorro ahora mismo antes de que eso le impidiera abrir la boca.

Viaje al País Olvidado

Entonces se abrió la puerta y entró un médico desconocido con cara de tártaro. Esteban se levantó y reculó cautelosamente hacia la pared del fondo; en cierto rincón tenía su vara de enebro: su talismán. Una herrumbrada aunque sólida tranca de fierro. Momento en el que el cuartito azul se iluminó de golpe detrás del tártaro e irrumpieron sus ángeles custodios, la señorita Paula y la señorita Mariana.

—Hola Esteban —dijo con susurrante voz de incensario la señorita Mariana, impecable y almidonada, con unos ranúnculos en la cabeza—. Él es Esteban Espósito, profesor Sturm.

—Salud, flaquito —se rió la señorita Paula, también de misterioso guardapolvo aunque con zapatillas de básquet y pantalones bombachudos, y, por único adorno, un monograma colosal con la letra X en el sitio donde las niñas de su edad suelen tener la teta izquierda y ella tenía la clavícula, o sea que el guardapolvo era ajeno—. Qué ojeras, negro, o te apretaste a la flaca de ayer o soñaste con la Gran Langosta —agregó mientras, ritualmente, le amagaba a Esteban un ambiguo manotón o gancho de trayectoria imprecisa, más bien abajo del ombligo, gesto que invariablemente hacía que todo varón sacara el culo hacia afuera y que a ella le acometiera una irrefrenable hilaridad—. Qué pasa, hermano. —Y se dio vuelta, muy seria, hacia el nuevo médico. —Al flaco le pasa algo. Perdió los reflejos.

—Por qué está acá y no con los demás, en el parque o en el campo de juegos —preguntó con voz neutra el tártaro.

—Ya se lo explicamos —dijo la señorita Paula.

El médico sonreía. O algo que en un acuario de bagres podría pasar por una sonrisa. Sus ojos se habían detenido, casi aprobatorios, en la lámina de Molina Campos. Intenta ser amistoso, pensó Esteban. Y lo acometió el impulso de blandir la tranca.

—Sí, sí, ya me lo explicaron. Interesante todo esto, Espósito. Buenos días.

Esteban no contestó, muy ocupado en comprender sus propios sentimientos para contestar. La señorita Paula se restregaba un costado de la nariz con súbita impaciencia. La señorita Mariana dijo:

—Son órdenes del doctor Miguel, profesor. Usted ya sabe.

—De acuerdo, de acuerdo. Pero yo quiero, señorita, que me lo explique él mismo. No es sólo curiosidad. Soy psiquiatra.

Se acercó a los cajones de Arizu, a los papeles de Esteban, al cuaderno Leviatán. Y Esteban alzó la mano y la dejó caer, abierta y estruendosa, sobre la tapa del cuaderno. Las palabras "Está prohibido tomar cualquier clase de notas sin ser supervisadas por el Neurospiquiátrico", dichas con serena objetividad por el profesor, se arremolinaban y chocaban contra los pensamientos de Espósito (estoy teniendo miedo de veras, estoy a punto de decir que vine voluntariamente y que puedo irme cuando quiera) y contra sus propias palabras:

—Estos papeles son un poco más que notas. Y este cuaderno soy yo. Y no me lo supervisa ni lo lee ni lo toca nadie. Y ahora, si no es demasiada curiosidad: quién carajo es usted y por qué entra sin llamar.

—Usted está temblando. Este hombre está afiebrado —dijo el profesor—. Señorita Mariana, por favor, el termómetro.

Esteban creyó oír la palabra vaselina y por un segundo tuvo la impresión paradojal de estar en un manicomio.

—O sea que alguna de las chicas, o usted mismo en persona, va a tomarme la fiebre.

—Exacto —decía con calma el profesor—. Yo mismo. Usted *tiene* fiebre.

—Por el culo —dijo Esteban—. Va a meter, personalmente, ese termómetro en mi culo. Le voy a aclarar algo, profesor. Si piensa tomarme la fiebre, llame antes al gángster de la garita y a los tres gorilas del pabellón de los Peligrosos.

El profesor no parecía afectado en absoluto. Profesional y omnicomprensivo. Acostumbrado a toda clase de locos.

—Siempre se comporta así —sonreía.

No era una pregunta, como la sonrisa no era una sonrisa. Y ninguna de las dos cosas estaba dirigida a nadie. Hablaba como si inyectara Serpasol. Y Espósito recordó a don Jacobo, detrás de un roble, mordiéndose la mano; su cara despavorida. Está pasando algo horrible, pensó. O me está pasando a mí. Un malestar vago y amenazante lo rodeaba como un aura. Sintió nacer una puntada a la altura de la ingle. Vio, como en un destello, un gigantesco botellón de whisky. Afuera tronó: *sturm*.

—¡Sturm! —dijo de pronto Esteban.

El tártaro pareció humanizarse:

—Esteban Espósito. Joven escritor de paso por Rosario, hace años. Insolentes paralelos entre Nerval, Van Gogh y Artaud. Biblioteca de Fisherton. Yo fui a escucharlo. Y de ahí nos conocemos. Esperen afuera un momento, señoritas. Y ahora, Espósito, veamos si consigo conversar con usted. Qué hace acá, quién lo trajo.

Esteban se las ingenió para no ver esa mano. No cualquier mano es una mano. Hay manos valvas, manos que muerden, manos de las que cuelgan ratas muertas. De la mano de Sturm colgaba una rata muerta. Se dio vuelta y dejó el cuaderno sobre la repisa de tres libros. Bien mirado, ahora son cuatro, pensó.

—Qué —dijo Esteban

—Por qué está acá. Quién lo trajo.

Nadie me trajo, pensó. Qué trancazo le voy a pegar, Dios mío. Nadie me trajo, no soy un enfermo. Vine a hablar con don Jacobo Fiksler porque un amigo muerto quería hablar con él y alguien debe corregir los errores del destino.

—Alçoholismo —dijo Esteban—. Qué pasa con el doctor Miguel —agregó.

Sturm lo miraba con la expresividad de una jeringa hipodérmica.

—Debió viajar a Córdoba. A un congreso neuropsiquiátrico, en Oliva. Vuelve en dos o tres días, si eso lo tranquiliza. Alcoholismo. Y qué significa alcoholismo para usted.

El dolor de la puntada, en la ingle, como un pequeñísimo planeta ardiente. Iba a estallar en cualquier momento.

—Lo mismo que para usted —dijo Esteban. Sturm lo miró, alentándolo a seguir. Fiksler era sabio: no dialogaba con pescados muertos. Bagre, se obligó a pensar. Rata colgando, jeringa hipodérmica. Pero si lo mato de un trancazo me encierran para toda la vida. —Leí su libro —dijo Esteban—. O, para decirlo con una exactitud que usted no puede comprender, me lo leyeron. Sobre todo el capítulo siete. Interesante lo de la gama del azul. ¿Es un descubrimiento suyo? —Y Esteban creyó ver que el tártaro apretaba las mandíbulas casi imperceptiblemente. Ya lo tengo, pensó. Sí pudiera razonar con claridad, si no me estuviera doliendo algo así como todo el cuerpo. —Y como no pienso hablar mucho, le informo que hace seis meses no tomo más que agua. Y notas. Seis meses o siete. O cinco. No llevo la cuenta. Vine a terminar mi cura de desintoxicación. Mi *dossier* está en el escritorio del doctor Miguel. Y ahora, si me perdona.

—¿Palimpsestos? —lo interrumpió el doctor Sturm. Parecía interesado. Un poco de más.

—Tuve. Si se refiere a lo que supongo.

—No figura eso en la ficha del *dossier* —dijo Sturm—. Ilusiones o alucinaciones de algún tipo, o algo parecido.

Esteban comenzó a transpirar. Cruzó las manos temblorosas a su espalda. No podía ser que estuviera pasando por esto.

—Algo, y aun algos —dijo—. Como diría Sancho.

—Voy a tomarle la fiebre —dijo Sturm—. No hace falta la vaselina. En cuanto a los gorilas —agregó riendo—, a usted qué le parece.

—¿Y a usted?

—Expósito, por favor —dijo Sturm—. Qué significa todo este escándalo por una natural constatación de su temperatura. Y por qué esos temblores. Y ese sudor. Dígame, hoy bebió.

—Usted afirma, doctor. No pregunta.

Se miraban con hostilidad. O quizá no era así, o quizá sólo Esteban lo sentía. Es, pensó, una sensación falsa, y se oyó decir: —Una sensación no puede ser falsa o verdadera. La interpretación de lo que sentimos es el sentido de lo que sentimos.

Se encontró con la mirada de Sturm.

—Y usted qué siente, Espósito. Si es eso lo que intenta decir.

—Siento que me equivoco. Y además no puedo pensar ni hablar con claridad. Vuelo de fiebre, usted tiene razón. Imagine lo que quiera, pero la fiebre yo me la tomo en la axila.

Sturm le pasó el termómetro. Dijo:

—Un termómetro también puede ponerse en la boca. No sólo en el culo. Como diría usted.

—No sólo yo lo diría, doctor. El culo se llama culo. Y por si no nos entendimos, le aclaro que nunca pensé meterme en la boca un objeto que, por lo visto, los tipos como usted andan metiendo en el culo a todos los pasajeros de este tren. —Casi digo: a los tipos como yo, pensó Esteban.— Sin contar —dijo— que con el termómetro en la boca no podría contestar sus preguntas. Y en cuanto a lo que siento, a lo que físicamente siento, es como si...

—Sí. Siga, por favor.

—Una sensación de malestar y desasosiego. Y, sobre todo, violencia. También un dolor que no es dolor. Empezó en la ingle. Va y viene. Vea doctor, algo así como unas irresistibles ganas de pegarle con esta tranca a usted. ¿Qué le parece?

—Acuéstese en la camilla. Cuando yo apriete, levante la pierna. Diga si duele.

—Si usted se casó, es divorciado. No, no duele.

—Soy divorciado, sí. —Sturm se reía; tal vez era terráqueo, tal vez el equivocado fuese Esteban.— Pero qué quiere decir eso.

—Que usted siempre afirma, que debe de tener podridas a las mujeres. ¿Sabe una cosa, Sturm? —dijo de pronto Esteban con los ojos desorbitados y la voz ahogada—. Me estoy muriendo.

El tártaro lo miró como si le creyera.

—Déjeme ver el termómetro —dijo—. No, espere —agregó de inmediato—, no se mueva. Tranquilícese un segundo, voy a sacárselo yo. —Pero Esteban se sentó violentamente en la camilla. Temblaba y estaba empapado de sudor. —Está bien —dijo Sturm—. Si no lo rompió, démelo usted mismo. —No le quitaba los ojos de encima.

—Creo que voy a vomitar —dijo Esteban. Le pasó el termómetro a Sturm.— Cuánta fiebre tengo.

—Más de lo necesario. Dígame exactamente qué le pasa.

—Me cago en Cristo Jesús. No sé lo que me pasa. Siento lo mismo que si...

—Qué.

—Lo mismo que *al día siguiente,* si entiende lo que quiero decir. Lo mismo, exactamente la misma cosa que si me despertara de una borrachera. Desde esta mañana estoy así, desde antes. No sé, Dios Santo, siento que...

—Enfermeras —dijo Sturm. Las dos chicas entraron en el acto, se materializaron junto a la camilla como si nunca se hubieran movido de allí. Sturm anotaba algo en un papel.— Rápido, si no hay ampollas que lo preparen en el laboratorio. Y traigan todo para inyectar acá. Y usted, tranquilícese. O grite, no trate de aguantar el dolor. Necesito ahora mismo una bolsa de agua caliente. Y que venga Jaroslav.

Y la puntada estalló. Se había ido expandiendo lenta y viscosa, agrandándose como una burbuja gigante hasta abarcar por completo el torso de Esteban, y ahora, como si le explotaran las entrañas, el dolor y el miedo lo arrasaban por dentro desde los testículos a los pulmones. "No puede haber un dolor más fuerte", se oyó decir. "Dicen que no": era la voz de Sturm. Después su propia voz, la de Sturm y la de Jaroslav, indiscernibles. "Pero además es otra cosa", oyó. "Hielo, también necesito hielo". "La bolsa en los riñones". "Átelo, si hace falta". "Whisky o lo que sea, sí, está bien". "Les digo que también es otra cosa". "Cálmese, ya se le pasa: en cuanto inyecte se le pasa". Y Esteban, casi simultáneamente, sintió que el tórax se le partía en dos y que le daban un pinchazo en la vena. Una tibia, desconocida serenidad entrándole por la vena del brazo. Lo otro que sintió, lo sintió en la garganta: el ardiente y casi olvidado para siempre, el áspero y dorado y celestial gusto repugnante del primer trago. *Whisky*. Eso que alguien le estaba dando de beber era whisky. Y del que hace bien: del peor. Y sintió que realmente se moría. Es increíble y absurdo pero me estoy muriendo, y es como una gran paz en medio del dolor, como un ingrávido camino hacia la luz, todavía duele pero ya no importa, un ángel del buen Dios cumplió mi último deseo y me mató de felicidad, me emborrachó, no es del todo justo irse así y justamente ahora, sí es justo, pero no me despedí de don Jacobo, no presté atención a sus palabras, nunca dije cuál era el libro de Jack London, no tuve tiempo de contar quién era la pequeña Prascovia, no perdoné a mi madre, no recuerdo si intercalé la página del suicidio de Santiago, cómo serán los velorios de los locos, qué va a pasar ahora con mi cuaderno Leviatán, ya no voy a poder encontrar nunca el camino entre los árboles en el mapa que me dibujó la Sirenita, Dios mío, quién le va a dar de comer a mi pinzón sobre todo porque en mi vida tuve un pinzón y ni siquiera sé qué clase de pájaro es el pinzón ____________________

____

____________________ *hay un lugar que es uno y a la vez muchos una región intermedia entre la vida y la muerte entre la realidad y lo Otro no preguntes nada de esas tierras son el País Olvidado no hay respuestas ni certezas ahora porque estas cosas son según peso medida forma y duración para los que existe unidad o modelo no siempre son alegres de ver no siempre se puede decir que sean hermosas hay flores que exudan pesadillas pantanos que hieden a corazones solos hay el umbral de una puerta un niño en ese umbral hay quien vio la marisma y sus nenúfares y oyó el silencio negro como trueno y vio una roca y sobre la roca una figura que grabó en la piedra la palabra silencio, ¿tuvo miedo?, no preguntes del miedo otros ven una ciudad de sangre ven un campanario ardiendo y otro nunca vio el agua y sí una hiena dormida junto a un niño y oyó el grito de la madre hasta el confín del mundo hay pantanos y cañaverales con serpientes de ojos de ópalo y objetos para los que nunca existió nombre o número acá abajo hay ciudades enteras con cúpulas de ágata, ¿entonces, hay color?, hay color no para don Jacobo y hay el aire que canta y el aire que aúlla no para el que veía la sombra del silencio porque nadie ve nunca ese lugar del mismo modo, ¿es el infierno?, no hay más nombre que el País Olvidado, de acuerdo pero no te calles quiero saber del barco, no preguntes flaquito no preguntes del barco no rompas los quinotos con lo que no pueden contestarte mis palabras, ¿las palabras de quién?, ufa cortala las de nadie tu barco desarbolado y el viajero y la tempestad que incendia el mar como magma y el lugar al que estamos llegando son palabras sin nadie, ¿algo así como el espíritu de la leyenda?, no mimoso algo así como el espíritu de los bolorcios, gracias señorita Paula quería estar seguro, no me agradezcas nada negro ni me llames señorita soy tu Ofanin la enviada tu Agathós tu piedra linda y éste es el barco y su tripulación a saber don Santiago también llamado don Jacobo el ruiseñor que canta en la tiniebla, ¿dónde está?, en el castillo de proa con cachimba y catalejo y a su lado el silente Salustio todo forjado de platino duro para que nadie toque su corazón y la Ofanín que en tierra firme se llamó Mariana y en casa le decimos Filotea, ¿y Espósito?, él era el barco desmantelado que encalló en este puerto y fue la ruta y es la arena que nos quema los pies y la carretilla en que llevo a Salustio y toda la comparsa que entra en el manigual como una alegre Armada Brancaleone y es el horror súbito del atardecer y la llegada de la noche sobre los pantanos y el grito colorado de la Luna* ______________________________________

____

____________________ (—Luz de quirófano —ha dicho o está diciendo Sturm—. Voy a hacer la incisión yo mismo. —Es superior a mí —dice Morgana Sturm—. Pero hasta dormido me resulta un ser profundamente desagradable...— sólo ruidos metálicos, algo como un fuelle, un *tam-tam* y ese horrendo calor; después la voz de Morgana.— Y esas dos irresponsables, por favor, vos te fijaste cómo... —Insulina, rápido. Y quedate callada, te suplico. —Qué pasa, es una intervención menor, ni siquiera tendrías que hacerla vos. —Dije insulina, carajo —la voz de Sturm era atronadora—. Y pasa que está muerto. Oxígeno —gritó—. Jaroslav ____________________

____

_______________________) *y al salir de la manigua entré en el País Olvidado no vi todas sus tierras ni puedo hablar siquiera de todo lo que vi pues no existen palabras para todas las cosas y porque hay allí constelaciones enteras soles lunas planetas a los que se llega siempre a punto de naufragar con un barco cada vez más desarbolado por un mar cada vez más tempestuoso yo voy a hablar de un solo sol en ese enjambre de oro del tercer planeta de ese sol planeta azul o verde un orbe casi enteramente de agua yo voy a hablar de una sola ciudad de ese mundo para peces y batracios de una calle en un barrio de un umbral con un chico sentado a media noche la calle se llama Terrero los árboles enraman sus copas allá arriba como la bóveda gótica de un sueño y mamá ha salido y el chico tiene ojos para ver pero no ve que vuelva tal vez si fuera a la esquina de Gaona hasta el tranvía y ya está a punto de correr en la noche hacia su madre porque la oscuridad hace correr siempre a los niños de alegría o de miedo los persigue con largos cuchillos o con risas pero él no se mueve porque también tiene oídos para escuchar y algo habla detrás de su nuca hay siempre un alma buena que habla detrás de puertas y el chico oyó y odió a su madre y a su padre y odió a los que no eran su padre ni su madre yo me acerqué para decirle no hay nada más monstruoso que uno mismo hay que aprender a odiarse más que a ningún ser vivo hombre o animal más que a ninguna otra cosa eso permite chico desarrollar un cierto genio para la bebida y el amor y las ciencias exactas pero no pude abrir la boca porque el chico había muerto, qué tal flaquito te gustan los parajes viste la Plaza Irlanda a la luz de las estrellas viste el pinzón que cazó Filotea con pega pega para que sepas todo del pinzón o sea que hay el pinzón real que para algunos es el piñonero y para otros la Pirrhula Vulgaris pero pinzón en serio es más que nada un ave ni frita ni saltada del género Fringrilla con el siguiente aspecto pico recto cónico agudo si eso es posible y linda cola escotada alas con bandas transversales de color colorado y amarillo no sé qué hace un pinzón en Floresta porque es más bien boreal y orientalesco, no no vi nada vamos a la manigua volvamos tengo que ir más atrás tengo que ver a un chico cuando estaba vivo* ______________________

____

______________________ (—¡Golpee el pecho, donde tengo la mano! ¡Golpee! ¡Ódielo si hace falta! ¡Golpee! ______

____

_________________________) *y volví a ser el barco desarbolado su tripulación y la tormenta encallé muchas veces vi las ciudades de ágata y de sangre vi el pantano que exuda flores que exudan pesadillas vi las pesadillas de esa ciénaga eran así una mujer sin rostro una mujer sin sombra una mujer con el sexo coronado de espinas una niña violada por un monstruoso humanoide al que aferro de un hombro con asco y se da vuelta y me mira sonriendo y tiene mi cara quise huir de mis sueños y entré desnudo en un bar pavoroso que era un laberinto que era el centro de un espejo poliédrico donde lo único que se no se reflejaba era mi cara sino sobre mi cuello el rostro de mi madre de mi padre de Beatriz de Santiago de Mara vi cien veces mil rostros familiares o amados apenas entrevistos o tan remotos como si nunca hubieran existido también los rostros de Ellos también todo el panteón me miraban sin odio sin tristeza sin piedad con la fría indiferencia de los astros y pensé son los Jueces son todo lo que soy van a juzgarme y hui dando gritos tropezando lacerando mis pies con vasos rotos con pedazos de espejos con botellas ardientes y volví al manigual volví a salir aullé bajo la luna en cuatro patas vi derrumbarse el eucalipto de una casa en un pueblo vi talar un olivo centenario pero nunca más encontré al chico del umbral, Filotea lo vio mi negro lo está viendo ¿nocierto Filo?, vi a sus padres hermana son jóvenes hermosos es el atardecer es un tranvía el hombre no se acostumbra aún a los diáfanos celestes ojos de la muchacha cada tanto busca en su cara como quien busca un lago la muchacha tiene diecinueve años está embarazada y el sol oblicuo de diciembre atraviesa el tranvía como a un ópalo, ¿y adónde me transportan con tal comodidad y pompa señorita Mariana?, buscan casa hace meses vienen de un pueblo vienen de hoteles que más tarde los dos querrán olvidar porque de ahí no traen nada con qué armar un buen recuerdo salvo las noches en que dormían abrazados, salvo no es la palabra señorita ranúculos, cállese matoncito usted no entiende nada el hombre que es su padre siente que le debe algo a ella por sus ojos clarísimos y lleva en el bolsillo una dirección que tal vez sea una casa para vivir el tranvía pasa por un salón de baile y el hombre lo señala la muchacha se ríe y dice quién va a sacarme a bailar con una panza de siete meses él le dice algo al oído ella le pega en la mano él dice que Mocoroa es el mejor boxeador argentino y ella diciembre el mes que más me gusta se dicen estas cosas como grandes secretos y actúan como tontos porque la vida es un aprendizaje que en la ciudad les da miedo él dice que le gustan los barrios como pueblos ella insiste diciembre es el mes más hermoso porque empieza el verano y hay toda clase de frutas ahora mismo me comería un gran racimo de uvas, ¿puedo opinar al respecto señorita Mariana?, no hace falta no con brusca seriedad el hombre ha pensado que eso se llama antojo le mira el vientre después los dos caminan por una plaza enorme y sosegada en la plaza hay hamacas un travesaño con argollas un trapecio y él se toma inesperadamente de las barras da una extraña vuelta sobre sí mismo y le sonríe dos cuadras más allá la muchacha descubre un tapial arrebatado de flores lilas Santa Rita dice y a que ésta es nuestra calle piensa en su casa nueva en pisos como espejos piensa en la Navidad cercana en su hijo en su pueblo piensa en manteles en un jazmín del país y tal vez en la felicidad, ¿y entonces por qué estoy en este barco?, el barco son palabras de nadie no hay respuesta el hombre joven y la muchacha de ojos imposibles han llegado a un umbral hay una puerta muda y junto al timbre veo un cartel con letras blancas torcidas perfectamente legibles*

SE ALQUILA PIEZA
A MATRIMONIO SIN HIJOS
NO SE ADMITEN ANIMALES

él mira el papel que trae en la mano ella baja los ojos hacia la comba de su vestido y se siente deforme él no quiere pensar en el regreso a los dos les parece que ha anochecido demasiado pronto ______________________________

____

Disputatio Diabolo

—¡Resucitaste, negro! —como una campana de oro dijo la señorita Paula, ante una reacción más o menos espasmódica de Expósito que consistió, básicamente, en sentarse de golpe en la cama, diciendo: La puta, creí que me habían asesinado—. Se despertó el flaco —le comunicó de inmediato a su único vecino, un solitario y rígido caballero también sentado en su cama, sólo que en esa posición desde hacía veintisiete años, en el que Expósito reconoció a Salustio, el catatónico, quien, a juzgar por su indiferencia superior, no resultó mayormente impresionado por el milagro—. Vos sí que no te calentás para nada, Salustiano —agregó la señorita Paula. Y de inmediato su lengua terrenal pasó a informar, tumultuosamente, sobre cierto doloroso chacamento que casi le descuajeringa a Esteban la busarda, cólico renal ocasionado, *o altitudo!*, por tanta falta de escabio o por brusco cambio de forraje que le escrachó el metabolismo, aunque, a decir verdad, lo peor de todo habría sido el biandaso que en el quirófano le erró la cardíaca. ¿Debo entender que, en algún momento, me falló el corazón? Textual, confirma la niña de palabra alada: reacción a la falopa o soporífero, ya que a Esteban, de golpe, le había dado una especie de falso Krup, algo rarísimo, y, *mi-*

rabili visu, se había atragantado de tal modo que fue como si se hubiese tragado los camambuses. ¿Los qué? Los fanguyos, mimoso: los zapatos; en fin, se le había fruncido de tal manera el cartucho, que un poco más lo yugulan. ¿El cartucho? —La glotis —explica la señorita Paula—. El croata te zampó tantos de esos cazotes *in pectore*, como decía mi preceptor de latín, que casi más te deja matambre. Momento en el cual descendimos Filotea y esta papirusa.

—Por qué no intenta en castellano, señorita Paula.

—Que te resucitamos entre Mariana y yo. Yo también te di masajes, pero al estilo pastelero, ¿viste?, como amasan las tías. O sea que te franelié a lo Baño Sauna Reserva Absoluta. Y como parece que no tenés a nadie en el mundo lo bañé con creolina a Salustio y te lo puse en la cama de las visitas. Lo grande fue la respiración artificial. Cuando Filotea te arrimó la trompa, a la Morgana Sturm le vino fiebre uterina. Me parece que se fue de misionera a un leprosario de Tanzania. En fin, casi te morís, qué plato.

—María Paula —dijo desde alguna parte la señorita Mariana— ¿qué disparates estás contando?

—Bueno, lo adorno un poco, querendona. No ves la angustia que tiene. ¿Vos estás seguro de que la vida te hace bien, negro? Qué zarpada te pegaste.

—Zarpada. Qué quiere decir zarpada.

La señorita Paula lo mira. Le pregunta qué le pasa, si tiene un poroto en la oreja o ya no capta la lengua de Cervantes. Zarpada quiere decir *trip*, viaje, *travelling*, najushe con glosolalia. Hablaste pavadas como tres días. Había un barco, estábamos nosotras, *rari nantes in gurgite vasto*, como quien dice. También iba Salustio y el batemusa jovato.

—Deliraba —dice, sin darle importancia, la señorita Mariana.

Puso una flor en el vaso del catatónico. Me parece a mí o lo veo sonreír. A ver si realmente estas dos locas.

—Así que deliraba. Y qué dije.

—Vos eras el barco, no se entendía mucho. Te lo grabé todo. Y te compré cintas nuevas. Vos usás cintas berretas. ¿Sos pobre o pijotero? Por ahí hablás como Lord Dunsany y de golpe te sale del alma un portuario en camiseta. Las cintas grabadas las confiscó Filotea. Pero el plato más grande fue cuando la vomitaste toda.

—Que yo hice qué.

—Paula, por favor.

—Y si te lanzó. La lanzaste, en serio. Te estábamos cuidando tipo Florence Nightingale, cuando pegaste un grito que se quedó en silencio todo el manicomio, te doblaste en dos, y a la lona. ¿Sabés lo que pensé, negro? ¿Sabés lo que pensé, Filo? Pensé, Dios mío, a la de piantados pobres que les habrían puesto el chaleco por un grito así. Si la bestia esa de Sturm no te detecta el cólico, por un alarido así y una pataleada como la que diste, allá en el fondo te enchufan a los electrodos. Pensé, ¿alguien se preguntó, alguna vez, si cuando un loco grita le duele algo? Alguno de estos carniceros electricistas...

—Paulita, qué estás diciendo.

—...alguno de estos paranoicos hijos de puta con título... estoy diciendo lo que pensé, hermana, y no lo dije porque soy un ángel y el padrino Miguel es mi superior jerárquico ...alguno de estos traficantes de drogas, de estos cafishios de la desesperación, pensó alguna vez que un loco tiene riñones, hígado, gota, calambres, dolor de muelas... Acomodalo a Salustio que se nos vino en banda.

En efecto, el catatónico, perdiendo por alguna razón su inestable equilibrio físico, rodó silenciosamente sobre su cama. La señorita Mariana corrió en su ayuda. Espósito mira la mano de la señorita Paula, quien mientras hablaba se ha ido guarneciendo de oro y bronce, y lo ciega el resplandor de una espada. Me sorprendo pensando lo bien que me vendría un whisky, aunque más no fuera una o dos ginebras. Me oigo decir:

—Y vomitaste.

La señorita Paula me mira y pone su mano, ya desarmada, sobre mi frente. Dice:

—Vos vomitaste por mí, flaquito. No me tutees. Me parece que tenés fiebre otra vez. La vomitaste encima a la rubia, pero te alzó del suelo, porque es sufrida. Y yo, qué querés, me ataqué de risa. Hay cosas que más que nada me dan risa. Después hubo que lavarte y perfumarte y amortajarte para el quirófano. Parecíamos Marta y María con Lázaro. La que te lavé fui yo. La rubia salió de raje a buscar jeringas y bálsamos, qué plato. Voy a pedir un termómetro y a avisar que estás vivo. Antes te cuento un secreto, papi.

—Pero no —dijo la señorita Mariana.

—Pero sí, qué tiene. Te vi el pito. Y creo que ella también.

Y se da vuelta y cruza la pequeña sala a carcajada limpia, con sus largas zancadas de *boy scout* o Afrodita último modelo, pisando con los talones, moviendo alegremente el traste bajo unos zaparrastrosos y carísimos pantalonazos con un remiendo rojo y otro con florcitas a cada lado del festivo culo, pantalón, se obliga a pensar Esteban mientras sabe que tiene miedo de pensar en otra cosa (*sturm, sturm*, hacen las zapatillas de la señorita Paula; *morgaana*, hace la sirena de una ambulancia a lo lejos; *jaroslafff*, hace un baldazo de agua en las baldosas de la sala contigua; *ssturrmmm*, hace el tanque de un inodoro), pantalón que ha de costar más o menos casi el sueldo de una mujer como Morgana Sturm, por infecta que sea, todo el sueldo de Jaroslav, por miedo que te tenga, pantalón que difícilmente le podría regalar el doctor Sturm a su hija suponiendo que esa clase de tipos engendre, nada de lo cual, por supuesto, es en absoluto una crítica a la señorita Paula (quien al pasar por la cama de Salustio le ha guiñado un ojo y le acomodó la flor en el vaso), sino que es un incómodo acto de justicia producto sin duda de la fiebre que tengo y una especie de panfleto social que hasta a mí me toma de sorpresa y que abarca a todo el sistema hospitalario argentino, se extiende sobre el podrido mundo y recae sobre mi propia privilegiada cabeza de tipo que, pase lo que pase, siempre se las arregla para que lo bañen y lo resuciten, y es, sobre todo, una trampa del inconsciente para hacerme pensar en lo que no quería pensar pero que sigue ahí, amenazante y vagamente aterrador.

—Quiero saber si ya volvió el doctor Miguel.

—Volvió, sí. A ver que le acomodo un poco esa almohada.

—¿Y el insano? Me refiero a Sturm.

—Hoy retoma sus investigaciones en las Salas Cerradas.

—Quiere decir que trabaja acá.

—Es el ayudante principal del doctor Miguel, y el único capaz de reemplazarlo cuando él no está. Se quedó tres días seguidos de este lado, por atenderlo a usted.

—Qué atento. Qué quiere decir de este lado.

Pero la señorita Mariana no me escucha. Ha ido hacia el extremo de la sala y está buscando algo detrás del biombo blanco. Vuelve con mi grabador.

—También tengo sus cuadernos y sus notas. Las cintas, en parte, las tuve que borrar.

La señorita Mariana muerde una horquilla y se arregla el pelo. Está tratando de ponerse de memoria una especie de peineta homeopática, una hebillita, que al parecer está decorada con una flor hecha por los artesanos miniaturistas de Liliput. Estoy tan fascinado por la operación que sus palabras me llegan medio tarde. Cuando grito *¿Qué?* y salto de la cama, la señorita Mariana da un respingo; sólo que no es un respingo a escala de hebillitas, es un respingo gigantesco, a escala neuropsiquiátrico sección telequinéticos. Quedó sentada en la cama del catatónico y, por decirlo así, en sus brazos.

—¿Mis grabaciones de Fiksler? ¿Me está diciendo que borró la única cosa que pude grabarle a don Jacobo hasta ahora?

La señorita Mariana se rehace, no sin cierta majestad, y le dice que no sea energúmeno. Se trata de otras cintas. Ciertas enormidades que habló, gritó, cantó y hasta silbó una noche. Una especie de melopea que empezó con una risa o un balido y en la que, por lo que entiende Esteban, él habló si eso era hablar de (¿o con?) alguien a quien llamaba perro, o cabrón, o príncipe, y también fulminado y profesor y sobre todo malas palabras. ¿Como cuáles?, pregunta Esteban, pero la señorita Mariana se limita a mirarlo de reojo mientras le acomoda el cuello del pijama a Salustio. Esteban quiere saber más. No es mucho. Pareciera que el otro, o Esteban cuando hacía las veces del otro, silbaba de un modo muy particular, acompañando el silbido con cierto vibrato de su garganta que causaba la impresión de un dúo un poco escalofriante o hacía *prrfff* con los labios, como los chicos (¿pedorreaba?), la señorita Mariana ignora el nombre técnico de esos ruidos; y, sobre todo, el otro, con bastante fluidez aunque en un tono increíblemente burlón y agudo, decía cosas horrendas en latín. ¿Clásico o ecliesiástico? Eclesiástico, dice la señorita Mariana. ¿Qué tipo de cosas horrendas? Pero la señorita Mariana no sabe nada de latín. Esteban le dice que no mienta, que si no sabe latín cómo afirma que era latín eclesiástico. La señorita Mariana estuvo en un pensionado de la U.C.A.; sabe que se dice algo así como *pingüino güéritas* y no *in vino veritas*, y eso es todo. ¿O sea que hablamos de la bebida y de la verdad? Y yo qué sé, dice la señorita Mariana. ¿Y si no sabe nada cómo entendió que eran cosas horrendas? Usted es un perfecto maleducado, dice por toda respuesta la señorita Mariana. Pero Esteban, repentinamente, necesita saber algo, algo que por un instante parece asustar a la señorita Mariana; la toma con ferocidad del brazo y le exige que se acuerde si él o el otro hablaron del *Pater Noster*. ¿De Dios? De la oración, de Dios también, por supuesto, pero sobre todo de la oración, del momento en que, en el Padre Nuestro, se dice *et ne nos inducas in tentationem*, ¿me oye bien?, *et ne nos inducas*: no nos induzcas, no nos tientes; que Dios no nos tiente, si el otro admitió que el tentador y Dios son la misma cosa, si le dijo por fin que el bien y el mal son un solo principio al que debería llamarse únicamente Mal. La señorita Mariana lo mira ya sin la menor sombra de temor, le dice que le está apretando el brazo y que, como lo prueba esta actitud de Esteban, ella hizo muy bien en destruir esas insensateces, hay ideas enfermizas que no son buenas para nadie y menos para él y menos en este lugar. ¿Ideas?, ¿dichas por quién y acerca de qué? La señorita Mariana responde que mire cómo se ha puesto con sólo tocar el tema. Parece otra vez un poseído, y que mejor se acueste, qué pasaría si lo viera alguien, qué habría pasado si Sturm hubiese escuchado esos diálogos y ruidos espantosos. ¿Poseído *otra vez*?, ¿diálogos? Diálogos o herejías o chanchadas o locuras, y que no hable tan alto ni se excite y se meta de inmediato en la cama oh qué tanto. Esteban se acuesta, pero necesita saber a qué llama ella herejías, locuras y chanchadas: ¿algún delirio a dos o más voces sobre la naturaleza ambigua y contradictoria de, por ejemplo, lo que la gente llama Dios o el Bien?, ¿algún debate sobre su amor a la vida, el de Esteban, y su casi cómica, femenina, blanduzca, vergonzosa incapacidad de vivir hasta el último límite ese amor demoníaco? A lo que la señorita Mariana sólo responde *psst*, alza un hombro y desaparece tras el biombo blanco, de donde regresa como si trajera un regalito para el Día del Niño. ¿Algo sobre cierta transacción, sobre cierta enfermedad sagrada que puede describirse como la herida ulcerosa y maligna que, en el centro de la ostra, produce esa demencia lunar, la perla?, ¿algo sobre la perla y su precio incalculable? La señorita Mariana, con todo cuidado y levedad, como si le ofreciera a Esteban el Graal de la casa de Nicodemo, le pone en las manos una especie de botella de Klein, adminículo rarísimo que resulta ser un papagallo y señalándole con un pequeño dedo rosado su embocadura le transmite, con las pestañas, que mee por allí con toda confianza y, mostrándole una rayita blanca agrega que por lo menos hasta acá, y luego, recatada, se da vuelta. Espósito, desorbitado, está a punto de gritar hasta dónde y por dónde le va a meter algo un poco menos distinguido que ese dedito, pero recuerda la respiración artificial con que ese ángel le devolvió el alma y pregunta con dulzura y en una octava más baja que su tono normal, como si le hablara por teléfono, pregunta casi susurrante si por casualidad no se habló o alguien habló de la necesidad del Mal, del Mal como fuerza creadora que por virtud de la negación, por espíritu de rebeldía, violenta lo inerte, lo dado, lo impuesto, y se transforma en una nueva afirmación, orden nuevo que a su turno... Hace casi dos días que retiene orina, dice de espaldas la señorita Mariana, de tal modo que parece hablar con Salustio: eso es malísimo, dice. ¿Y de la verdadera naturaleza del infierno, que es humana?, ¿o no es humana?, ¿de los castigos que en este mundo o dónde acarrean ciertas desviaciones o transgresiones?, ¿del amor?, ¿de si por lo menos es posible el amor?, ¿de la ilusión del conocimiento y de la infelicidad que acarrea?, ¿de la aniquilación de las obras del hombre?, ¿de un pacto?, ¿de la bebida?, ¿sí?, ¿por lo menos se habló de por qué siento que no voy a poder, que siempre supe que no voy a poder luchar contra la bebida? La señorita Mariana se da vuelta, lo mira con severidad, le dice:

—Por qué no se calla de una vez. ¿Cómo va a orinar si habla? No respire y trague saliva y la uretra se distiende; no falla nunca.

—Soy incapaz de excretar o pishar panza arriba. Soy un hombre, no una mosca. Dígame dónde está el baño.

Ella le indica el camino, allá, junto a una vitrina con gasas, frascos, esas cosas. En el toilette va a encontrar jabón, cepillo de dientes, péinese un poco. Esteban intenta por última vez saber qué había en aquellas cintas.

—Balidos y gritos. No cierre la puerta por dentro; si se marea o algo, hay un timbre.

Cuando Esteban regresa, tiene los ojos brillantes, y, en efecto, el paso un poco inseguro de los convalecientes. Huele fuertemente a dentífrico y, por alguna razón, viene diciendo que el rey de Constantinopla se quiere desconstantinopolizar. Con una reverencia, le entrega el ambarino recipiente a la señorita Mariana. Des-cons-tan-ti-no-po-lizar, repite. ¿Qué le parece? Y de pronto le pregunta la hora. Ella se la dice.

—Los minutos exactos, por favor— después se mete en la cama y se tapa con un ligero escalofrío—. Es fantástico, señorita Mariana, es realmente tan cómico como para llorar a gritos.

La señorita Mariana lo mira con un poco de alarma y estira su mano hacia la frente de Esteban.

—No me toque.

La voz de Espósito es helada y cortante. La señorita Mariana retira la mano con miedo.

—¿Qué le pasa?. Si es por esas cintas...

—¿Qué cintas? Pero no, por favor. Qué me importan a mí esas cintas, ni las otras. Ni mi agenda ni los cuadernos cuadriculados ni siquiera el cuaderno Leviatán. Señorita Mariana, hay *una sola cosa en el mundo* que me importa, desconstantinopolizar Constantinopla ya que no puedo techar el techo de la casa de María Chucena. De todos modos, y ya que usted saca el tema, y le hago notar que fue usted, no yo, cómo sabe que la noche de mi delirio, ¿anoche?, ¿fue anoche o entendí mal?, usted no tuvo el raro privilegio de asistir a otro trillo del *diavolo*, a otro Kublai Khan, y por una de esas operaciones misteriosas de que se vale la providencia para que el Bien triunfe sobre el Mal y todo resulte mermelada, me borró, justamente, lo que estoy tratando de comunicarles a mis compatriotas, a mi siglo, desde que vi al pedigüeño, al achacado y al fiambre, como diría la Ofanin del riente culo, si entiende un diez por ciento de lo que quiero significar.

La señorita Mariana dejó con mucho cuidado el papagallo sobre la mesita de luz, achicó los ojos, se puso las manos en la cintura como una napolitana de los bajos fondos, y le dijo:

—Mire, pedazo de pedante, bruto descortés y matoncito del bla bla, no me quiera impresionar con la sonata de Tartini, con los sueños de Coleridge ni con su misión de príncipe Gautama *all'uso nostro*. Su delirio era puro ruido y furor, contado propiamente por una especie de idiotón, si me entiende a mí lo que quiero decir, y conmigo no se haga el sabihondo o el cínico porque le doy un bife que lo de Jaroslav le va a parecer la rosa de la que hablaba el poeta persa, si su cultura llega hasta el oriente clásico. Cállese la boca. Y ahora ya va sabiendo por qué el doctor Miguel nos puso a María Paula y a mí para que los cuidáramos a usted y a don Jacobo. Cállese la boca, cretino. Yo le voy a dar Ofanin. Mi opinión le voy a dar. Y mi opinión es que usted y el doctor Miguel son unos irresponsables y que el profesor Sturm ya se dio cuenta.

Esteban alcanzó a preguntar de qué.

—De que no hay ninguna razón clínica para que su cordura, la de usted, no sea una interesante forma de locura. Y que por eso éste es el único lugar del mundo donde las personas como usted no deberían estar. Ni de visita. Porque lo que se supone es que nosotros, seamos voluntarias, enfermeras, médicos, intentamos curar a la gente, devolverles una razón para vivir o protegerlos de la demencia de afuera. Y usted vino a enfermarse del todo.

—Del todo, caramba, señorita Mariana. Si eso lo dedujo de mis balidos, silbidos y pedorreos, debió ser una experiencia inolvidable.

—Lo deduje de cuando se le cerró la glotis. Usted quería morirse, morirse en un manicomio. Usted tiene la misma idea de la vida que cuando era adolescente.

—Y cómo sabe eso.

—Soy su Ofanin o una futura gran psicóloga. Elija.

—Así que, según usted... Bueno, puede ser. De chico me pasaban realmente cosas así. Soy alérgico a la felicidad. Y también al odio. Tengo la sospecha de que me muero otra vez; eso significa que el profesor Sturm anda cerca. Mírelo.

—Usted es un desagradecido y un monstruo. Ese hombre le salvó la vida.

—Señorita Mariana. Está por entrar. Haga cualquier cosa. Muéstrele el papagallo. Distráigalo un segundo, hasta que me tranquilice. Sea buena.

El corazón de Salustio

En el extremo de la sala, la señorita Mariana habla con el profesor Sturm. Espósito se levanta con rapidez. Va hasta la cama vecina y vuelve a su cama. Le ha acomodado las almohadas a Salustio y le ha arreglado el saco del pijama. También lo orientó un poco hacia acá. El doctor Miguel, sin que yo lo sepa, me ha estado mirando todo el tiempo desde el otro lado de la ventana. *La verdad que don Jacobo tiene razón, Dios es medio raro*. Esto lo pensó el doctor Miguel, no yo. Lo pensó sonriendo y se agachó a recoger una flor. Como estamos en invierno, la flor debe ser una violeta. El profesor Sturm, junto a mi cama, visto desde abajo, parece mirarme por las fosas nasales. Como los dragones. No sé si he dicho que es pelirrojo, color repelente en el varón, sobre todo si tiene barba, anteojos y pelo revuelto. Se parece a Trotsky. Un Trotsky que pasó varios años a la intemperie y se ha oxidado. Si pienso que le debo la vida voy a vomitar el corazón. De modo que me aprieto las pelotas bajo las frazadas para confortar mi alma.

—Cómo anda nuestro literato. Cómo andan esos riñones.

No contesto.

La señorita Mariana me reconviene con la mirada. La señorita Mariana piensa que sería hermoso ver nacer una amistad. El tártaro dice:

—Bueno, Espósito. Ahora creo que por fin voy a poder charlar con usted.

—Quién sabe.

—Cómo es eso.

Sturm se sienta en la cama de Espósito. En el vacío que hay entre los dos podría pasar, sin verlos, el gaucho de Molina Campos. Y en realidad, pasa.

—La señorita Mariana acaba de decirme que usted me salvó la vida.

El tártaro hace un gesto, un gesto automático, como de restarle toda importancia al asunto. —Justamente —dice Esteban—, a eso justamente me refiero. Porque yo pensaba que no, quiero decir, no se pueden usar las palabras de cualquier manera. Literato, dice usted. Salvar la vida, dice ella. Y está mal. ¿Quiere que siga? Lo que yo pensaba es que usted evitó mi muerte. Y eso no es salvar la vida. No sé si advierte el matiz. Quiero decir que, un torturador, por ejemplo, puede hacer lo primero sin proponerse en absoluto lo segundo.

Sturm lo mira sin alterarse, lo mira como si tratara de entenderlo. La señorita Mariana, petrificada durante unos instantes, pudo hablar por fin. Casi al borde del llanto. Piensa que me volví loco. Y por qué no.

—Esteban, ¿qué está diciendo? Usted, usted no puede pensar eso. Usted no tiene derecho a... Profesor, discúlpelo, por favor. Todavía está bajo los efectos de...

—La morfina.

—Señorita Mariana —dijo Sturm—, déjenos solos.

La señorita Mariana salió. Parece una abeja, *bzzzzz*. Una asustadísima abeja portadora de miel. Sturm la mira irse. Dios mío, será que uno se vuelve casto en este manicomio. O, como ella dijo, será que uno se vuelve demente de verdad. Porque Espósito siente que esa chica no debe ser mirada como la mira Sturm. Hay un crótalo viscoso en esa mirada que me ofende. A mí, no a ella. Y algo más. ¡Salustio! Salustio en la cama vecina, inmóvil, luchando secretamente a mi lado, mirando hacia la nada desde la nada pero del lado de acá. Y Esteban dijo:

—¿Solos, profesor? También eso está mal dicho. Para mirar salir a esa chica tiene que haber mirado, también, lo que hay en esa cama. No estamos solos, Sturm. Con ese catatónico somos tres. ¿Ve cuál es nuestro problema? En fin. Ya terminé.

Sturm pensó un momento.

—No, no terminó. Ni siquiera empezó. No le resulto simpático, Espósito. Y no sabe por qué. Es natural. Un neuropsiquiátrico no predispone, precisamente, a la confianza entre el médico y el paciente. Pero eso por qué le va a impedir hablar conmigo. Haga un esfuerzo.

—Vea, Sturm. Acá hay un pequeño malentendido. Si yo estuviera en un café, y usted se me acercara, o si me llamara por teléfono a mi casa, yo no tendría que hablar con usted. No tendría por qué hacer ningún esfuerzo. Salvo que se me antojara.

—Por qué no decir que se nos antojara a los dos, Espósito.

—Hable un poco más alto, profesor. Me zumban los oídos.
—Que por qué no decir si se nos antojara a los dos. Por qué prescinde de mí, Espósito.
—Por lo mismo que usted prescinde de Salustio.
—Qué quiere decir.
—Que prescindo de usted porque tengo la impresión, subjetiva, seguramente mezquina, de que pertenecemos a especies distintas. Para mí, usted no razona. Un ejemplo, yo acabo de decirle si usted entrara en un café, etcétera, o si me llamara por teléfono. Y usted no se da cuenta de que eso, precisamente, es lo que está ocurriendo ahora. Lo que ocurrió en el cuartito azul. Usted, profesor, se me acercó. Usted quiso que yo le contestara. Usted viene a verme y me pide que yo haga un esfuerzo. Hablar, a mí no me cuesta el menor esfuerzo. Pero hablar con usted, sí. Es como si me apretaran los testículos.
—Y por qué se le ocurre esa imagen, Espósito.
—Y a usted quién le dijo que es una imagen, Sturm.
—Qué represento para usted, qué ve en mí.
—Tendría que hacer pis, doctor. Me han dicho que haga todo el pis que pueda. Pero antes le voy a contestar.
—No, no. Vaya nomás. Lo espero. Con Salustio.
Esteban, aprovechando que estaba de pie frente a Sturm, le pidió un cigarrillo. Después le preguntó la hora, con minutos exactos, por favor. Quién no tiene sus manías, dijo. Fue y volvió y olía de tal modo a menta que era como si hubiese salido de un tubo de dentífrico. Dijo que lavarse los dientes y fumar era una combinación horrenda. Se acostó.
—Doctor, acabo de pensar que usted representa a mi madre. Salustio a mí, y don Jacobo no sé. El doctor Miguel es un astrólogo que conocí en Córdoba y que ahora se ha vuelto filántropo. Su hermana y Jaroslav son errores estéticos. Errores míos, le aclaro.

—Y quién es su padre.

—Mi padre soy yo. Y ahora le voy a decir qué estaba haciendo yo cuando usted irrumpió en mi cuartito azul: pensaba. Antes había estado mirando por un agujero. Y vi algo. Vi la cara despavorida de Fiksler. Estaba escondido detrás de un árbol y se mordía la mano. Vi, sentí, olí su terror.

—Y en ese momento entré yo.

—Pero no, Sturm. Eso lo vi antes. Cuando usted entró, yo pensaba. Pen-sa-ba. Y ahí está la cosa. Quién le dijo que usted tiene derecho a interrumpir pensamientos. ¿Tiene derecho? Usted siente que sí lo tiene. Lo dijo hace un momento. Yo soy un paciente, usted es el médico, y esto es el Neuropsiquiátrico. Y no es así. Yo no soy paciente. Yo no soy nada paciente.

Sturm se ríe. Esta vez se ríe de veras.

—Eso sí lo noté, Espósito. En eso estamos completamente de acuerdo.

Esteban también se ríe. Esta vez te tengo, piensa. No me vayas a fallar, Salustiano de mi alma, piensa.

—Ya rompimos el hielo, ahora hable usted. Dígame qué tuve.

—Bueno, clínicamente hablando, un cólico renal. Que, en realidad, fueron dos. Yo lo atribuyo a un súbito cambio de dieta.

—Sí, siga.

—Seguramente producido por... bueno. Cuánto hace que dejó de tomar.

—Debería saberlo, Sturm.

—Sí, es cierto. Usted me lo dijo ese mismo día.

—Y casi me operan.

—No, ninguna operación. Iba a ser una simple incisión. La glotis. De pronto se le cerró la glotis.

El profesor Sturm sacó cigarrillos y, por primera vez, se dispuso a fumar. Mecánicamente hace un gesto como si me invitara. Le muestro el cigarrillo que estoy fumando.

—Usted quiere decirme algo, Sturm.

—Sí. Quiero decirle que usted intentó suicidarse. Y le voy a decir cómo lo sé. Aquella vez, en Fisherton, hace años. Usted parecía conmovido por la sensibilidad de no sé qué poeta.

—Keats.

—Exacto. Un tipo tan sensible, tan superior, que era capaz de cerrarse la glotis a voluntad. Por desprecio, recuerdo sus palabras. Es increíble. Y usted se sentía encantado diciéndonos eso. Se sentía...

—Superior, ya lo dijo. Pero la palabra no era desprecio. Era repulsión. Como si dijéramos repugnancia. Cosas que se repelen o que pugnan. Llámelo alergia y quedamos en paz. ¿O sea, Sturm, que yo soy capaz de matarme nada más que para molestarlo a usted, para demostrarle mi... ¿cómo era?

Sturm se mira una mano. Parece más viejo.

—Por qué me agrede, Espósito.

—Seré loco. Usted dijo que yo debería estar con los demás, en el campo de juego. ¿Quiénes son *los demás*? Y por qué se cree con derecho a mirar mis papeles.

Sturm, bruscamente, se puso de pie.

—Si no quiere que lo confundan, Espósito, si no quiere que lo traten como a un paciente, no se refugie, no venga a esconderse vaya a saber de qué, en un manicomio. Soy médico, soy neuropsiquiatra y neurocirujano, soy, si me lo permite, un investigador científico por lo menos en la misma medida en que usted es un literato. Qué se supone que debo encontrar en un lugar como éste.

Espósito movió afirmativamente la cabeza. De pronto dijo:

—No sé. ¿Qué se supone?

—Enfermos mentales, carajo —dijo Sturm.

Entonces Espósito se rió, como si hubiera cometido

una travesura. Sturm desconcertado y repentinamente humano. Casi inerme. Yo sé perfectamente que puedo llegar a ser el tipo más simpático del mundo, si odio a alguien. Mi simpatía hacia Sturm es una correntada. Si Sturm es capaz de enojarse conmigo en este momento de esférica y perfecta inocencia, realmente es un monstruo. Dije:

—Lo hice enojar. Así que no se enoje. Gracias por salvarme la vida, Sturm, ahora puedo decírselo. Y una pregunta, referida a Fisherton. A aquellas insolentes interpretaciones mías, como dijo usted, al motivo de nuestra discusión aquella vez.

—Yo no he dicho que discutiéramos.

Sturm se sentó otra vez en la cama.

—No. Se lo digo yo. Discutimos en esa biblioteca y después en una casa. Me llevaron a una casa. Había, me acuerdo, una botella de whisky gigantesca. Una de esas botellazas de propaganda. ¿Era de cinco litros o de tres?

Sturm desconfiaba.

—Algo recuerdo de eso, en efecto. Pero usted da la impresión de querer demostrar alguna cosa.

—Era de cinco litros. Fue hace como quince años, yo volvía de Córdoba, y usted estaba escribiendo una tesis. Y hasta me leyó algo. Fuimos a su casa.

Sturm ya no era Sturm. Era un hombre alegre, normal, que se encuentra con un conocido en un país extranjero.

—Caramba, sí. Claro que me acuerdo. Y vaya si discutimos. A gritos. Y me acuerdo algo más: no sólo usted, yo también estaba borracho. Y si le soy franco, no creo que nadie de los que estuvo allí se haya olvidado. Hicimos un escándalo. Y claro que yo también estaba borracho. Espósito, ¡cómo bebía usted! Le juro que nunca vi a nadie tomar de esa manera.

—También me lo dijo esa vez. Estaba enojado.

—Sí, señor. Tiene razón. Yo estaba muy enojado con usted, por lo de la glotis, porque no se le notaba que bebiera. Estaba ofendido. Y además por otra cosa.

—Unos disparates que inventé ahí mismo. El complejo de Edipo no existe, es complejo de culpa. Por haber hecho sufrir a la madre al nacer. Y lo del inconsciente.

—Usted decía...

—Que, en términos generales, el inconsciente es mala memoria. Mala fe. Es la coartada de los neuróticos y de ciertos psicópatas. Usted me decía que yo era un pedante, un literato, y el tipo más desagradable que había conocido. Terminamos abrazados, cantando Lohengrin.

—Espósito —dijo Sturm—, estoy deslumbrado. Lo que no significa que comparta sus teorías o que confunda mala memoria con enfermedad mental. ¿Amigos? —dijo por fin, con una sinceridad conmovedora, aunque fugaz.

De cualquier modo, ha extendido la mano. Y la mano está allí, esperando mi mano.

Esteban se sienta en la cama y lo mira a los ojos. Habla en voz baja, fríamente, articulando con mucho cuidado las palabras.

—Usted es un imbécil —dice—. Usted me odia y ni siquiera lo sabe. Yo lo detesto y le tengo miedo, pero lo sé. Ésa es la diferencia entre nosotros. Váyase o vomito.

Debo confesar que siempre he sentido una debilidad pueril, frívola, meramente visual, por cierto ornamento de los reposados libros antiguos, esos bellos folios donde, cuando el autor siente que tal vez ha ido demasiado lejos

* * *

dibuja tres estrellitas en el centro de la página y se pone a reflexionar, por ejemplo, sobre el corazón humano. En este momento debería suceder eso, y en realidad sucede. Es el corazón de Salustio. No puedo explicar ahora cómo lo sé, pero fue en este momento cuando el corazón de Salustio dio tres nítidos golpes fulgurantes, hizo nacer tres astros que, si el lector le concede a Espósito una benevolencia que seguramente no merece y yo no pido, justificarían, ante Dios, como dirá mucho más tarde el doctor Miguel, que resulte a veces un sujeto tan desagradable. Es muy cierto que Dios es medio raro. Tampoco sería difícil que, en efecto, *nos induca in tentationem*. De cualquier modo, Espósito no puede saber qué pasa en el corazón de Salustio, y, si de algo sirve aclararlo, ni siquiera sabe qué pasa en su propio corazón. Que Sturm lo odia, es cierto. Sólo que Sturm parece de pronto más humano que nuestro héroe. Ese tártaro, especialista en lobotomías transorbitales, que confunde a Keats con Mallarmé, que ha perfeccionado un punzón casi invisible capaz de introducirse por la cuenca de un ojo abierto y atravesarlo como si fuera manteca hasta llegar milimétricamente a la hipotálamo y en treinta segundos, con dos cortes, resolver el problema de la infelicidad humana, se siente estafado por Esteban. Habla casi con humillación, con desconcierto.

—Pero, qué hace Espósito, qué está buscando... No se da cuenta, no se da cuenta de que está procediendo como... —no puede controlarse y grita—: ¿Qué es lo que está buscando?

—Estoy buscando que me explique por qué le ordenó al croata que me diera whisky. Y eso para empezar.

Sturm se ha puesto de pie.

—Qué está insinuando.

—Le hice una pregunta. Conteste. Es consciente o no de que le ordenó a Jaroslav, mientras llegaba la morfina, que me pusiera una bolsa de agua caliente en los riñones y me diera un tragazo de cualquier cosa. Whisky, alcohol puro. Plomo derretido. Conteste.

—No voy a seguir escuchándolo, Espósito.

—Va a escucharme, se lo juro. A menos que apriete ese timbre, a menos que llame a sus gorilas. ¿O tampoco es consciente de que acaba de hacer ese gesto? Vamos, Sturm, qué tendría de malo que me diera whisky. Yo tenía un dolor horrendo, y el alcohol calma el dolor. Usted hizo lo indicado. Sólo que acaba de advertir algo. Me lo hizo a mí, y yo soy alcohólico. Y me inyectó morfina. Mi hígado, dice su libro, es una retorta, y mis pelotas también. Refino dopamina y butanodiol. ¿Y si algo de lo que me inyectó me hizo cerrar la glotis? Usted afirma que me quise suicidar por desprecio espiritual. Yo opino que usted quiso asesinarme por repugnancia científica.

—Está loco, Espósito.

—¿Es un diagnóstico, doctor?

—Es una opinión. Y eso es peligroso. Peligroso para usted. No tiene ni la menor idea de lo que se está haciendo.

—Qué, por favor. Qué me hago yo a mí mismo.

—Si esto ocurriera en las salas cerradas, se arriesgaría mucho. Por menos que esto he visto ordenar un electroshock.

—A quién ha visto.

—Ya no lo tolero más, Espósito. No tengo por qué soportar sus insinuaciones ni su conducta. Ni siquiera tengo por qué soportar su cara.

—Bueno, por fin. Si eso mismo es lo que intento decirle desde que llegó. Y a don Jacobo le pasa igual que a mí. Usted, profesor Sturm, ni tiene idea de por qué Fiksler se esconde detrás de los árboles cuando usted anda suelto. Cree que el loco es usted.

—Voy a llamar a un enfermero —gritó—. Voy a llamarlo.

—No va a llamar a nadie. Y antes de irse, ¿le importaría que yo estuviera grabando este amable diálogo con mi pequeño aparato no confiscable?

Sturm estaba de espaldas. Unos segundos después, cuando se dio vuelta, había recuperado la serenidad. Una serenidad fría, psiquiátrica. No sé si voy a controlar esto, pensó Espósito.

Sturm dijo con naturalidad:

—Entrégueme de inmediato esa cinta. O le juro que llamo a *mis* enfermeros. La buscan ellos, o me la da usted.

Espósito desvió los ojos.

—¿Puedo quedarme con mi grabador?

—Por supuesto.

—Está bajo el colchón, de su lado.

Sturm levantó el colchón, buscó, no encontró nada. Miró un segundo a Esteban. Después, sereno y digno, revisó con cuidado todo el borde de la cama. Incluso, se agachó. Fue hasta la mesita de luz y abrió el cajón. Se miraron. Espósito supo que ya podía reírse.

—Por supuesto, profesor. Ya adivinó: es mentira. Soy todo lo que usted quiera, pero, como se imagina, no soy capaz de una cosa así. Y, si fuera capaz, no se lo habría dicho. Fue una broma de literato; en realidad, una venganza poética. Y una última cosa, antes de pedirle que me deje en paz o toco el timbre yo. Hasta el día de mi cólico yo llevaba siete meses y veintitantos días sin beber. Era un dios. Usted no se imagina lo que significaba eso. ¿Sabe cuánto llevo ahora? Más o menos veinte minutos, y antes de eso, nueve exactos. Aproveché mi ida al baño para bajarme mi segundo cuarto de alcohol puro de este nuevo día. La media botella la va a encontrar, naturalmente, en el tanque del inodoro. Y a propósito, cuando se quedó solo, ¿habló? Hay gente que lo hace. A ver si lo grabé. Siete meses y veintitantos días, Sturm. Y ahora, ni veinte minutos.

Sturm volvía a parecer más viejo. Echó a caminar hacia el baño, con los hombros caídos. Se detuvo. Me está mirando.

—Usted es algo más que un demente —dijo—. Usted tiene el corazón corrompido.

Dio la vuelta y fue hacia la puerta. Está conmovido, pensó Esteban. Está lastimado y hasta desamparado. Por qué hago estas cosas, pensó. *Quién* las hace. En ese momento estuvo a punto de llamarlo. Que se vaya, que se vaya con su rata muerta colgando de la mano. Hijo de puta, pensó: él sufre, pero el alcohólico soy yo.

—Qué te parece, Salustio —dijo.

Sentado ahora al borde de la cama de su estupefacto vecino, Esteban piensa que la palabra estupefacto es la indicada. Salustio, con los ojos muy abiertos, vislumbra algún sector del infierno que le está vedado a Esteban. O del cielo, por qué prejuzgar.

Hoy mismo me voy, piensa Espósito. Ya no hay nada que hacer en este barco.

Bruscamente metió la mano entre el pijama y el corazón de Salustio y sacó de allí el pequeño grabador a pilas. La lucecita roja, sin posibilidad de error, indicaba que había estado funcionando todo el tiempo.

Clac.

El último día

Es, por lo tanto, la última noche del último día. Y, Espósito, desde hace tres, está nuevamente instalado en el cuartito azul. Y no hay por qué repetir que existe un tiempo de cosecha y un tiempo de siembra, el tiempo humano de Kant y de Job, y el tiempo del bosque de don Jacobo, de las muertas albercas, de las salas con puertas de hierro, del frenkel y los electrodos, del banco de piedra. Muy bien puede un solo día tener tres atardeceres, ninguna mañana, una noche brahamánica y boreal. Espósito guarda sus papeles, su gran cuaderno Leviatán, sus tres libros, su grabador, en un bolso de tela de avión. Cuando va a despegar de la pared azul el gaucho de Molina Campos, comprende que ese acto sería más imperdonable que un robo. Hay razones para que en el microcosmos de la pared nuestro jinete siga marcando una dirección, razones que Espósito ha descubierto en algún momento de esta noche, en el momento de servirse, en una lata de paté, una medida de cierto brebaje espirituoso con gusto a hinojo, destilado, en las retortas del manicomio, por el propio don Jacobo. Silencio. SH. Si algo sabes haz de callar. Desde su conversación con Sturm, Esteban tuvo unas cuantas iluminaciones que trataré de contar en el tiempo que queda, sin hacer demasiadas concesiones a ese acto, complementario de la escritura, que allá afuera se llama claridad. Mañana ma arrepentiré. Mañana me dirás que no está nada bien semejante hermetismo hacia la parte final de este exiemplo o fábula que, no sólo por razones formales, de construcción, de ritmo, de música subterránea, ya debería estar remontando un cierto vuelo hacia la luz. Mañana, todo lo que se quiera; pero mañana es del otro lado de la ligustrina. Supongo que alguien se estará preguntando dónde fueron escritas estas palabras, y hasta quién las escribe. Espósito también se lo pregunta. Llena otra vez su lata de paté, bebe, anota unas palabras en su agenda cuadriculada y tiene la incómoda impresión de no escribir, de estar siendo escrito por alguien o algo que no domina del todo las reglas básicas de la composición. Así que Esteban cerró la agenda, puso la lapicera entre sus hojas, guardó todo en el bolso, y salió a la noche del parque. Llevaba en la mano un mapa dibujado por la Sirenita. Se estaba yendo, no hay nada que hacerle. Es curioso: si hubiera clavado la punta de un compás en el olivo de su casa, en San Pedro, y trazado un círculo que abarcara el itinerario total de sus viajes en un mapa de la Argentina del tamaño de esta hoja, no se habría apartado de aquel patio más de tres o cuatro centímetros. Y, sin embargo, tenía la impresión tristísima de haberse pasado la vida yéndose de todas partes, alejándose siempre del olivo, no acercándose nunca a ningún lugar. Y más curioso era el hecho de que, si juzgaba este parque como la etapa final de un viaje, pues todo punto del universo y aun de la provincia es, en un momento dado, un término, tanto caminar, dar vueltas, tomar trenes, caerse de bicicletas, para venir a parar a un manicomio. Y mucho más curioso es que lo pensara al irse, ya que este tipo de reflexiones debe hacerse al llegar. Caminó unos metros y se dio vuelta para mirar por última vez las taciturnas fieras de piedra, para recordar, algún día, la pagoda, sus techos superpuestos exaltados hasta el vértigo en el disco de la Luna. Entonces, sucedió. Un pájaro rompió a cantar en la oscuridad, y sólo el ruiseñor canta en la tiniebla. Y mientras el canto se abre en la noche del manicomio y cae como una luz sonora sobre las muertas pero doradas hojas de las albercas, sobre los pabellones dormidos y el sueño de los locos, sobre la hierba y sus pequeñas flores; mientras don Jacobo aparece entre los árboles y Esteban, con los ojos cerrados y su papel en la mano y su bolso de irse para siempre, escucha la canción no nacida para la muerte, yo intentaré contar, a mi modo, lo que falta de mi historia. Que no ocurre después, que ya ocurrió, que ha sucedido o está sucediendo a la mañana. Oí el corazón de Salustio. Hablé por última vez con don Jacobo. Vi las Salas Cerradas. Miré mi destino y mis entrañas. Contemplé el árbol verdadero. *Etz Chaim*. Y conocí el rumbo del gaucho en su caballo. No importa mucho el orden. Fue así. Tranqué la puerta del cuartito azul mientras entraba en lo que sólo podría describir como el reino de la lámina, noche azul, pampa por los cuatro costados, grillos y gallos a lo lejos. Vea, paisano, quiero hacerle una pregunta. Diga, dijo. Charlamos al borde de una laguna y compartimos ginebra y tabaco negro. La bendición, tata. Vaya nomás, m'hijo. Vi también mi propia cara en el vidrio de una ventana derruida, del mismo modo que el primer día había visto la de don Jacobo. Ya no llevo pijama. No me reconocí. ''Horrendas vestiduras'', dijo una voz a mi espalda, y luego pude ver a don Jacobo, reflejado en el vidrio junto al desconocido que era yo. ''Muy lindo, en cambio, el hipocampo'', dijo. Cuando vi que el Espósito reflejado en el vidrio comenzaba a desanudarse con resignación la corbata, tuve un pensamiento extraño: Esa ventana anda un poco adelantada. Porque en realidad yo todavía no había movido la mano, o, para decir al menos alguna cosa con exactitud: el pensamiento no tenía nada de extraño, puesto que yo no me estaba desanudando la corbata, y sí había movido la mano, pero hacia el grabador, que llevaba escondido nadie podrá imaginarse dónde. ''Rásquese tranquilo'', observó don Jacobo, ''han de ser ladillas: animalitos freudianos y muy católicos; están obsesionados por el sexo''. Después me miró fijamente: ''Muy lindo su hipocampo, he dicho''. Yo dejé de mirar la ventana y me di vuelta hacia el Viejo Poeta. ''Don Jacobo'', me oigo decir, ''por favor''. Él me mira implacable y dice: ''Voy a contarle una parábola. Había una vez un lindo caballito de mar, vivía en una corbata, la corbata colgaba anómala de cierto cretino, cuyo gurú, un ilustre sabio, le murmuró a la oreja con palabra alada: bestia, o me das esa linda corbata o te arranco esta oreja con los tres únicos dientes que me quedan''. ''Es el último recuerdo de mi adolescencia, don Jacobo: casi me hice matar por conservarla''. Don Jacobo me miró: ''¿Regalo de una niña, algo inocentona, cara regordeta, ojos inmensos, primer amor perdido para siempre?'' ''Sí, maestro''. ''Más a mi favor, nidal de piojos''. Y luego, mientras caminábamos hacia el níspero, don Jacobo anudándose mi corbata sobre su pescuezo desnudo, me preguntó, como al pasar, si yo había percibido algo en esa ventana. No contesté. Él dijo: ''Percibiste'', y fue la única vez que me tuteó, después dijo que iba a contarme otra parábola. Un *koan*. Dijo: ''Esa ventana es la clave de este manicomio. La forma y el reflejo se observan. Usted no es el reflejo. Pero el reflejo es usted".

Y así, mientras el ruiseñor canta en la tiniebla, yo veo a mis Ofanin, que han aparecido de pronto en el Bosque de don Jacobo envueltas en un súbito crepúsculo, pero de un modo tan repentino, tan fugaz e improvisado, tan impropio, que es como si en Alguna Parte se hubiesen traspapelado las imágenes de una moviola. Oigo, bajo el níspero que ahora es una vid, las siguientes palabras, dichas de corrido:

—Así que hoy zarpás allende la ligustrina, flaquito, lo único que falta es que se nos muera el Viejo Bardo, esto va a ser más aburrido que zoológico sin monos, ¿ya te iniciaste?, ¿pispeaste el cacho de esplendor que andás buscando?, ¿te parece que estás listo para afrontar todo ese puterío de allá afuera?

Sólo que quien hablaba no era la señorita Paula, sino la señorita Mariana. Paula, mirando distraída algo que parecía estar más allá del parque, se acercó en silencio. Tardó un rato en decir lo que dijo.

—Entonces, se va. Hace bien en irse. Un trébol de cuatro hojas... —dijo de pronto, mirando el suelo. Se agachó, flexionando las rodillas, como si sus pantalonazos fueran el más blanco y aéreo de los vestidos de Natasha. Se puso de pie y, cuando parecía que iba a darme el trébol, volvió a dejarlo caer y, sin mirarme, dijo: —Lo vamos a extrañar, Esteban.

Y desaparecieron.

Mi corazón y mi cerebro son fuertes: han sobrevivido a cuatro o cinco mil litros de alcohol y a unas diez mil cápsulas de anfetaminas. Pero aquello fue demasiado. Sólo atiné a mirar a don Jacobo.

—No se alarme, hijo. A veces les pasa. Mucho papelerío y burocracia en ciertas esferas. Muy difícil mantener la unidad de estilo. Volvamos a lo nuestro.

Y al crepúsculo sucedió la siesta, como si el tiempo se enroscara hacia atrás o diera un salto, y vi un tumultuoso amanecer, pero con tal natural y serena fugacidad que entre las palabras *Sigamos con lo nuestro*, pronunciadas por don Jacobo bajo la vid, y mi respuesta bajo el árbol de granadas, no hay el menor hueco:

—Qué es lo nuestro, don Jacobo.

¡Zimzum! hizo un relámpago.

Y no son mis palabras, sino el tono: no es lo que estoy diciendo, sino lo que no puedo decir, lo que hace que el Viejo me mire como me está mirando. Estoy triste. Y estoy triste porque me voy. No puede ser, no puede estar sucediéndome semejante cosa. No soy un chico, soy un hombre maduro. Un maduro dipsómano, como había dicho el doctor Miguel el primer día. Y no he venido a aprender nada, a buscar ningún esplendor. El esplendor lo tengo en la bragueta, bajo la especie de un frío grabador con una lucecita colorada, tengo los genitales intactos detrás del grabador, no soy ningún chico desamparado en un umbral, no llego sigiloso a lugares donde está escrito: LOS QUE ENTRÁIS DEJAD NIÑOS Y PERROS, salgo, salgo de ésta como salí y saldré de todas, soy un helado cínico que graba al pobre don Jacobo, a mí, y a la realidad entera, con sus enteras pelotas, con un hígado sospechoso y ambiguo, con unos riñones de hombreador de bolsas, reactivados como para cargarme a todo el puterío de allá afuera en todas las posiciones del Kama Sutra, el Kama Gita y el Ananga Ranga, voy a cumplir treinta y nueve años, hace treinta que no lloro, soy dueño y señor de diecisiete mil millones de ardientes células nerviosas a prueba de toda la serie de los metílicos, de la dulce Beatriz, de maniguas y pantanos, de Graciela, de mariposas negras y aguavivas, de Mara, de Cecilia, no tengo pie plano ni ladillas ni ano contra natura, estoy cruzado de cicatrices como un mapa, me falta un buen pedazo de ceja y parte de mi nariz abona los yuyos de una zanja, pero, aparte de quién me quita lo bailado y lo que me pienso bailar, siento crecer unos alerones de pterodáctilo bajo la camiseta, de ave roc, de fénix; tengo un cuaderno Leviatán de hojas cuadriculadas escrito hasta el final, con una carátula que dice *Crónica de un iniciado*, y otro a medio terminar, y tres carpetas, y una alegría de criminal nato mientras comete un crimen, por qué voy a estar triste (*brrummm bom borombon chasch buum*, hizo el trueno) si esto que se derrumba y seguramente también está siendo grabado por el sensible transistor de mi bragueta no soy yo, es el mundo, este manicomio, es esta horrenda manera de creer que se vive y creer que se es feliz y creer que se ama a la que llamamos la humanidad, el hombre, y es un ensayo a ciegas, un borrador, el delirio de un borracho, o quizá una enfermedad de la naturaleza, un escorbuto, una pestilencia que ensució la creación desde una estrella envenenada pero que un día de éstos, con la ayuda de mi bragueta o la de otro, de mi Leviatán y mis alerones o los de otro, será raída de la cara de la Tierra, qué es lo nuestro entonces, don Jacobo, si yo no tengo más que lo mío y me cabe bajo la piel y en un bolso de tela de avión, me cago en Dios Padre, qué es lo nuestro.

—Epa —dijo don Jacobo—. Qué efecto le causa el hinojo destilado, hijo mío. A usted le está haciendo falta otro jarrito para tranquilizarse, tome. Y le aclaro, de lo poco que entendí, entendí todo. Pero no oí dos palabras.

—Cuáles —dije yo.

—Usted habló mucho de células y vísceras. Hasta habló del pie. No le oí la palabra *corazón*. Tampoco cierto nombre o apelativo. En fin, volvamos a lo nuestro.

—Lo nuestro —dice una niebla blanca, un ojo celeste en una lupa triangular—, lo nuestro —dice algo que va tomando forma detrás de un escritorio cargado de papeles donde hay un mapamundi y tres grandes frascos con formol, en uno de los cuales flota un buen pedazo de carnaza rojo oscuro, no del todo desagradable a la vista, terso, por decirlo así; y en otro naufraga su hermano gemelo pero reducido por los jíbaros, pétreo y al mismo tiempo fangoso como una piedra pómez que fuera una esponja que fuera un zapato viejo, y me pregunto si no estaré viendo hígados; el tercer frasco está vacío—, lo nuestro es cierta pequeña conversación, y le ruego que no me confunda con don Jacobo.— O sea que estoy en el despacho del doctor Miguel aunque también, pero cómo explicarlo y para qué, diría el Viejo Poeta, estoy en el bosquecito, oyendo las palabras que explican el árbol y sus transformaciones, y la palabra *Kelipah*. —Que significa infierno —dice el doctor Miguel—. Y no me diga que no se lo anticipé. Acá sucede de todo. Hay desplazamientos, se oyen gritos. Uno cree haberse acostumbrado, hijo querido, pero no. Sólo se adapta. *Arbor vitae* —dice el doctor Miguel plantando su pequeña mano sobre uno de los frascos—. Claro que don Jacobo le diría *Etz Chaim*, y vea, Espósito, es lo mismo. Todo una misma sustancia, sólo que en distintos grados de putrefalencia o esplendor. Así que se nos dio de alta y se nos va. ¿Y cuándo?

—Hoy mismo.

—Ningún inconveniente —dijo el doctor Miguel. Es plena mañana y hay sol, y yo estoy vestido de pijama, pero sé que en otro lugar de este mismo lugar es de noche y canta un ruiseñor, todo esto es quizá su canto, y don Jacobo, bajo el níspero, me ha mirado duramente mientras decía *Kelipah*, embudo abismal que está más allá de la ligustrina, pero que empieza acá, y me tocó el pecho con el dedo.— Ningún inconveniente —dice el doctor Miguel—. Salvo, por supuesto, el que acarrean ciertos trámites. No se pensará ir de pijama. También necesita sus documentos. Y mi autorización, firmada. Sale de mi oficina y se va. Le recomiendo la noche. Ese parque, con luna, parece entre el Éufrates y el Tigris. Eso sí, antes hace algo por nosotros.

—No lo entiendo.

—Espósito, usted hizo un trato. ¿Se olvidó? Se le facilitan, ilegalmente, ciertas infracciones: accesos, excesos, encuentros y manifestaciones. ¿Epifanías, las llama usted? Se lo salva de la muerte prematura, etcétera. Y usted, a cambio, nos proporciona algo. En este caso, la cinta que le grabó al profesor Sturm. —El doctor Miguel no me mira, creo que para evitar ver mi pánico. Si Sturm sabía que yo grabé esa conversación era un comediante siniestro. Él revisó mi cama, él se sintió estafado por mí. Si Sturm lo sabe, yo estoy realmente recluido en un lugar del que no me va a resultar nada fácil salir. —Ay, ay —dijo el doctor Miguel—, qué pensamientos horribles tiene usted, hijo mío. Se está muriendo de miedo. No, Sturm no sabe nada. Nadie sabe nada. Salvo usted y yo. Y el corazón de Salustio. Y le voy a aclarar algo, usted juzga demasiado mal a Sturm. Y Sturm a usted. Y por eso marchamos hacia la desintegración y el caos. El pobre hombre le salva la vida, o evita su muerte, y usted lo acusa de torturador. Silencio, *stop*. No sé si habrá notado que cuando me pongo a hablar no admito interrupciones, hablo de corrido. Usted se anda trepando a los inodoros al más puro estilo curdela viejo y me lo acusa al hombre de que lo indujo al vicio. ¿Sabe que usted entristece a la gente? Y encima piensa que usted fue engañado, que en cierto modo él lo dejó hacer, que está a merced de un perverso paranoico sádico, quien, además de odiarlo es chismoso y me lo cuenta todo. Sería interesante pero es falso. Acabo de decir algo que es una parodia de Tertuliano, se fijó. Muy bien, Sturm no me dijo nada. O mejor, me dijo, entristecido, en-tris-te-ci-do, lo que cree que sucedió. Usted haciéndole ese chiste siniestro, y él, con tres títulos universitarios y monumental libro publicado, revisando bajo el colchón y la cama. Qué clase de sentido del humor tiene usted, Espósito. Y por si fuera poco, diciéndole que no grabó nada, que fue una metáfora, un rasgo de lirismo. Pero yo lo vi. Pasaba por la ventana. Y lo vi a usted, metiendo su mano dentro del pijama de Salustio. Robo, no podía ser. Una manifestación táctil de amor a primera vista, posible pero no probable. Vi el grabador y me calmé.

—Me niego a darle esa cinta.

—Y yo me desilusiono. Qué quiere, que lo torture. Pero usted va a dármela. Porque a mí no me importa su diálogo con Sturm. Lo único que necesito es el fondo musical. O no se dio cuenta, Espósito, que detrás de esas palabras había algo más. ¿O todavía no entendió nada?

Yo admito que no. El doctor Miguel me mira, demasiado angelicalmente. Sé que está a punto de ponerse de pie y gritarme alguna verdad atronadora. Digo:

—Le doy la cinta.

—Ni falta que hace. Basta la intención. Yo se la robé mientras sesteaba. No se asuste, también se la devolví. Lo que yo tengo es una copia, procesada de modo que sólo lo esencial pase a primer plano. La discusión con Sturm pertenece a su esfera, a las letras. Lo que hay detrás, a la mía. Al alma.

El doctor Miguel levantó el teléfono, apretó todos los botones de intercomunicador y, con una voz desconocida para mí, grave, autoritaria, que no admitía la menor réplica, dijo que a partir de este momento nadie lo molestara en toda la mañana, en todo el día, en toda la vida si era necesario. Colgó, cerró la puerta con llave, bajó las persianas, puso un grabador monumental sobre el escritorio y en la oscuridad de la oficina dijo con aquella voz: "Oiga, escuche esta parte del canto de su ruiseñor". Desde unos *baffles* que parecían estar ocultos en el techo, en el piso, en las paredes, en los frascos, en el cuadro pintado por don Jacobo, en el globo terráqueo, comenzaron a oírse unos sonidos inconexos, espantosos por su magnitud. Roces de telas, chirridos indistintos, opacos y graves zumbidos amplificados hasta el terror, algo que reptaba como un monstruo de gelatina. "Eso es usted, Espósito", dijo la voz del doctor Miguel desde las sombras, "usted que se ha bajado de la cama y va hasta la cama de Salustio; escuche bien ahora". Y de pronto algo más, acompasado, sordo, algodonoso, un ritmo sin cadencia ni vida, un inhumano ritmo como de un tambor percutido por un loco. Y muy lejos, muy apagada, la voz de Sturm, mientras yo creía percibir en la tiniebla, detrás del frasco vacío, la mirada azul y sagaz del doctor Miguel. —Cómo anda nuestro literato —adiviné que decía el susurro ahogado entre el isócrono *stmpf-stmpf* de aquel latido, entre los atronadores gorgoteos viscerales—. Cómo andan esos riñones —y después la casi inaudible voz de la señorita Mariana y mi propia voz remota como si llegara desde el fondo del infierno. Y los resuellos inalterables, los cóncavos goteos, los gemidos bestiales de la vida actuando por sí misma, indiferente a todo, como larvas que se movieran en un pantano, y, por encima de ese blando caos, imponiendo un orden más espantoso que todo ese desorden, aquel insensible metrónomo, aquella pulsación imbécil y sin alma. "Va comprendiendo", dice en alguna parte el doctor Miguel, "va comprendiendo que si llega a ocurrir algo, si de pronto varía este ritmo, si se acompasa con lo que está ocurriendo afuera, con ustedes dos que allá afuera se insultan y se odian, yo descubro que se puede romper la costra de la locura, que de algún modo se puede romper, que en algún lugar del hombre hay siempre un núcleo lúcido, y que yo puedo entrar en ese núcleo tal vez sin punzones, tal vez sin dar miedo. Se da cuenta de que, si el odio entra, también entra el amor; va entendiendo, mi ebrio amigo. Y ya que estamos ante nuestro corazón delator, hablemos un poco de su escarabajo de oro. Desentiéndase un momento del pantano, nos servirá de marcha funeral de fondo, será igual a sí mismo durante mucho tiempo, o quizá durante todo el tiempo, ¿me creerá, Esteban Espósito, si le digo que es la primera vez que escucho esta cinta? Tiene que creerme, porque yo no soy el *Angelus mendax et corrumptor*, soy el que lo pateó de allá arriba, aunque soy también su hermano gemelo y a veces se me nota, no se detenga a razonar, no me haga caso, esto es un manicomio y acá nadie está exento de decir pavadas, mire ese frasco a su izquierda, es lo que podríamos llamar un hígado sano, mire ese frasco a su derecha, ese bodrio es una cirrosis, mire ahora ese frasco vacío, yo echo un poco de picrocarmín y, mientras escuchamos extasiados el corazón de Salustio, mientras esperamos, le presto mi lupa, y qué ve, yo le digo lo que ve, su víscera sagrada, Esteban, pero con franjas rosadas de tejido conjuntivo, con islotes de parénquima. Ya existen zonas de pasta granulosa y amarilla, como en el bodrio petrificado, sólo que el bofe de piedra ya no lucha, ¿qué hay ahí sino pura regresión y atrofia, puro ruido a vuelo de polillas y vida estúpida? Pero mire, mire ahora. Observe bien su frasco, ¿ve esas colonias de células que parecen lombrices de tierra, gusanos conquistadores, hidras que hierven sobre la carroña de Baudelaire? ¿Las ve luchar? ¿O agonizar? Sí, hijo, acertó, lucha y agonía son lo mismo, sólo hay que cambiar el orden y agonía es lucha, todo es la misma actitud ante la muerte sólo que hay que darle un valor, y esa cosa, ese hervidero, todavía pelea y se defiende, no quiere petrificarse ni atrofiarse, rechaza con indignación y furia el tejido esclerosado; y todo el hígado aumenta de volumen en vez de acoquinarse, se agranda más allá de sí mismo, es un hígado con corazón, y oiga el *stmpf stmpf* de Salustio, es un corazón sin hígado, sin coraje, sin alma. Pero sigamos hablando sólo de usted; yo que no soy mendaz y que soy el que cura, el que cuida, el que restaña, le digo que la locura alcohólica, la muerte que a usted le espera, o no, está relacionada con la resistencia que el elemento noble y diamantino de esa víscera suya le opone al empequeñecimiento, al empobrecimiento y a la atrofia. ¿Ve eso que también late *tam-tam*, pero con cierta desesperación conmovedora? Es el camino a lo grande, a la hiperplasia, hay focos adenomatosos que poseen todavía una formidable vitalidad contra natura, prestada por el alcohol, y todo eso vuela hacia arriba, pasa por el *tam-tam tam-tam* y va a parar a las doradas meninges que iluminan la médula, mire bien, esa *animula vagula glandula* está en el exacto punto de indecisión, ambigüedad e indeterminación en que a veces la naturaleza se detiene a pensar y duda, y eso pasa cuando la vida está por ensayar algo raro o por tomar ciertos rumbos, luminosos o no, pero justamente esos estados ambiguos, perplejos, sospechosos, esos verdores o verdosidades, ahijadito, son el ámbito de cierto personaje con el que usted también tiene un trato''. —Váyase o vomito —me oí decir, muy lejos, en el infierno. *BRRUMM BOM BRAMMM*, hizo de pronto el despacho entero y se iluminó por los cuatro costados.

—Qué le dije —decía el doctor Miguel—. Ése fue el corazón de Salustio— había encendido las luces y apagó el grabador.— Si me lo permite, lo que sigue ahora es mi propia música. Usted encontrará todo lo que le haga falta en su cuartito azul. Por mi parte, Dios se lo tendrá en cuenta. Váyase de noche, como le dije. No me dé la mano. No quiero verlo nunca más, Espósito.

Y me abrió la puerta y salí. Y eso es todo, me está diciendo don Jacobo y se suena la nariz con mi corbata. O casi todo, agregó chocando su lata de paté contra la mía, brindando bajo el níspero que ya es definitivamente una acacia con su rama de oro. Y digo casi todo, hijo mío, no porque se pueda agregar nada sino porque el casi, lo que falta, corre por cuenta suya. Salud ______________________

____

____________________ y Espósito entró en el cuartito azul, trancó la puerta, sucedieron de algún modo las cosas que ya conté y salió por fin a la noche del parque. Lleva en la mano un mapa dibujado por la Sirenita. Y ahora sí ya es todo o casi todo. Caminó unos metros y se dio vuelta para mirar, por última vez, los aleros, los diáfanos leones de piedra. Y lo que vio fue tan hermoso que debió cerrar los ojos. Entonces *supo*. Rompió a cantar un pájaro, y sólo el ruiseñor canta en la tiniebla. Y no era escuchar, era ver, tocar con los dedos el canto, sentir la perfumada vehemencia de su voz de mirtos y de rosas, marearse con el gusto a hinojo del dulce lenguaje no nacido para la muerte. Y para qué decirlo con palabras de Esteban si ahí está el Viejo Loco hablando en silencio desde la oscuridad, y hay todavía otros dos, que también hablarán; uno es muy alto y delgado y mucho más viejo que don Jacobo, tan loco como él, tiene la alargada leve silueta de un seminarista y, aunque parece centenario, su rostro conserva la bella línea de la adolescencia, no está, por supuesto, pero aun con los ojos cerrados se lo ve ya que él mismo ha dicho que por donde pasan los seres puros el espíritu se hace visible; el otro, un poco absurdo en medio de los dos viejos locos, es un hombre muy joven, también muy leve, casi un muchacho, su cara es de una belleza agónica y ardiente, tiene el pecho calcinado por la tisis, lleva una pequeña urna griega entre las manos, tan tenues que parecen de sal, habla de un vino que mancha y quema como sangre, un vino lleno de verdad y muerte que enrojece la boca y que debe beberse para abandonar este sitio, sin ser visto, junto al cantor que canta en la noche del bosque, para irse de aquí (¿el manicomio?, ¿el mundo?, ¿o da lo mismo?), donde los hombres se sientan a escucharse gemir unos a otros, donde los adolescentes crecen hacia la muerte, flacos, pálidos como espectros y todo nuevo amor se marchita porque ya no hay mañana, mientras el ruiseñor sigue cantando en la noche del manicomio con su voz no nacida para morir y Esteban sabe que cuando calle su canto él irá hacia el amor sin mañana, hacia el dolor, hacia la muerte, pero también sabe que está oyendo la voz del ruiseñor, esa palabra antigua, la infatigable voz que enseña que sólo del centro del dolor, de su negrura, se abre la felicidad en nuestro corazón, que sólo allí, en la profundidad nocturna del dolor resuena el canto de la vida, del mismo modo que se oye en la tiniebla el canto del ruiseñor que ya cantaba por encima de la muerte en la noche de los imperios derrumbados, antes de las pirámides, y antes, mucho antes de la terraplenada Uruk y sus cornisas pulidas como el cobre, y antes, en la medianoche de la horda, junto a las fogatas de los protohomínidos, antes de la palabra humana, el que alivió el corazón de Ruth en los trigales del destierro, el mismo del olivo que ya no está en mi casa, que ya no está siquiera donde estuvo mi casa, el único que romperá a cantar cuando la tierra entera se oscurezca, porque aunque yo también muera, el pájaro que canta en la tiniebla no nació para la muerte. Y éste el final de mi historia. Después estoy del otro lado de la ligustrina y los paredones. Crucé bajo las alamedas. Había dejado atrás las albercas de aguas negras. Iba por la vereda de una calle de pueblo con un mapa de la Sirenita en la mano, buscando un lugar que no encontré, porque en alguna esquina me detuvo una mujer enlutada que tenía una flor blanca en la boca. No era la muerte ni era la locura ni es una alegoría ni fue una visión. Era una mujer vestida de negro, que apretaba una flor entre los dientes. Me llevó a una casa viejísima con escaleras que crujían. Me hizo sentar ante una mesa destartalada, en el centro de una habitación enorme, y puso una botella sobre la mesa. Yo le dije que no podía beber, que debía buscar a la Sirenita. Se inclinó y me dijo algo al oído. Yo supe que no había ningún mal en eso. Y largamente reímos y bebimos.

Índice

Libro I

HASTA QUE VINO EL MIEDO

1 . El perro al pie de la escalera 13
2 . El cruce del Aqueronte 24
3 . Visitando las ruinas 49
4 . El hombre de los ojos de plata 74
El palimpsesto 74
Nadie 89
La Sirenita y otras visitaciones 97
Verde el árbol de oro de la Vida 115
5 . De cómo vino el Miedo 131

Libro II

SIC TRANSIT

6 . El ruiseñor que canta en la tiniebla 175
El manicomio 175
Epifanía de Jacobo Fiksler 184
La piedra de Rosetta 193
El fantasma de Mara 202
Viaje al País Olvidado 207
Disputatio Diavolo 220
El corazón de Salustio 230
El último día 241